수백판
100
워크북 2

백살이 되어도 잊혀지지 않을 수백판이고 싶어요.

제가 어렸을 때 저에게 수를 가르쳐준 분은 돌아가신 할아버지셨어요. 시골에 계신 할아버지 댁에 놀러 가면 할아버지는 늘 저를 위해 아궁이의 불씨 속에 고구마를 몇 개씩 넣어두시고는 저를 옆에 앉히고 지긋이 기다리셨지요. 할아버지는 시커먼 막대로 흙바닥에 수를 하나하나 쓰시면서 처음에는 하나부터 열까지, 그다음에는 열하나부터 스물까지 가르쳐주셨답니다. 어린 제 눈은 오직 달콤하게 익어가는 군고구마에 꽂혀 있었지만, 행여나 할아버지를 실망하게 하면 고구마를 받지 못할세라 열심히 "고구마가 열둘, 고구마가 열셋." 이렇게 되뇌고는 했어요.

시골집에 머무른 지 며칠이 지나고 마침내 할아버지가 가르쳐 준 수가 99 다음 수인 100에 이르렀을 때 저도 모르게 '백!'이라며 큰 소리로 외치고 말았답니다. 그때는 백이라는 수를 알게 된 것만으로도 세상을 다 알게 된 것 같은 기분이었어요. 시골집 마당에 열린 무화과 열매도 셀 수 있었고, 지붕 위에 말리고 있던 생선이 몇 마리인지도 헤아릴 수 있었으며 할아버지의 나이가 내 나이보다 얼마나 더 많은지도 알게 되었지요.

할아버지가 하나하나 꾹꾹 새겨서 써준 100까지의 수들은 수십 년이 지나서도 잊히지 않고 여전히 눈을 감으면 아라비아 수, 우리말로 읽은 수, 한자 말로 읽은 수가 소리와 함께 마치 어제 일처럼 선명하게 떠올라요. 제게 백이라는 수까지의 여정은 따뜻한 아궁이의 열기, 할아버지의 나긋나긋한 목소리, 익어가는 고구마의 향기와 함께 영원히 잊히지 않을 추억이랍니다.

제가 처음 수 100을 배웠을 때의 그 기쁨과 환희를 지금의 아이들이 똑같이 느꼈으면 하는 바람을 수백판이라는 클래식한 교구에 담아 보았어요. 수와 수학을 그저 어렵고 딱딱하고 재미없는 것으로 느끼지 않고, 수학을 처음 배웠을 때의 즐거움을 아이가 자라면서도 변치 않고 간직할 수 있었으면 하는 소중한 마음을 담아 재미있는 활동을 불어넣은 새롭고 멋진 수백판이라 자부한답니다.

이 책을 보고 계실 엄마, 아빠들은 수를 배우면서 저와 같이 기뻤거나 보람되었던 순간이 있었나요? 있었다면 언제, 어디서, 무엇을 배웠을 때였는지 다시 한번 찬찬히 떠올려 보세요. 그리고 그 소중한 기억을 재미있는 수백판 활동을 통해 아이와 함께 나누어 보는 건 어떨까요? 엄마, 아빠들이 어렸을 때 알게 된 백까지의 수를 우리 아이도 영영 잊지 않고 즐겁게 떠올릴 수 있게 말이지요.

수백판 교구를 설명할게요.

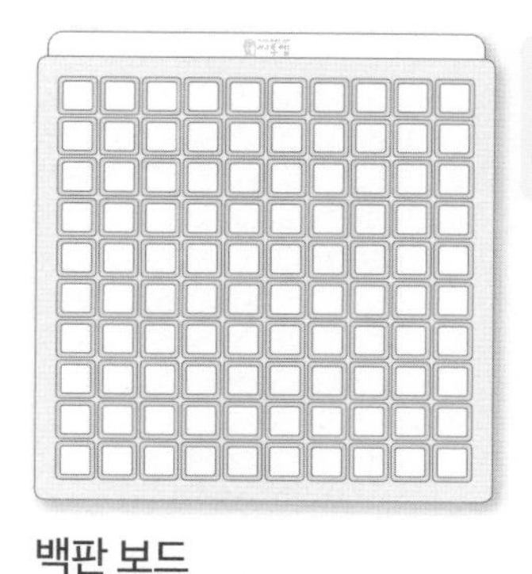

칩을 놓아 다양한
활동을 할 수 있어.

백판 보드
판 카드를 넣을 수 있어요.
수칩이나 색깔칩을 놓을 수 있어요.

1	2	3	4	5	6	7	8	9	10
11	12	13	14	15	16	17	18	19	20
21	22	23	24	25	26	27	28	29	30
31	32	33	34	35	36	37	38	39	40
41	42	43	44	45	46	47	48	49	50
51	52	53	54	55	56	57	58	59	60
61	62	63	64	65	66	67	68	69	70
71	72	73	74	75	76	77	78	79	80
81	82	83	84	85	86	87	88	89	90
91	92	93	94	95	96	97	98	99	100

1~100/10~1000
1장, 수 읽기/양 읽기
1장 총 2장이야.

판 카드 2장
백판 보드에 카드를 넣어 사용해요.
활동에 따라 앞면 또는 뒷면을 사용할 수 있어요.

1	2	3	4	5	6	7	8	9	10
11	12	13	14	15	16	17	18	19	20
21	22	23	24	25	26	27	28	29	30
31	32	33	34	35	36	37	38	39	40
41	42	43	44	45	46	47	48	49	50
51	52	53	54	55	56	57	58	59	60
61	62	63	64	65	66	67	68	69	70
71	72	73	74	75	76	77	78	79	80
81	82	83	84	85	86	87	88	89	90
91	92	93	94	95	96	97	98	99	100

연두색 수칩은 1~20의 수,
하늘색 수칩은 21~50의 수,
빨간색 수칩은 51~100의 수야.

수칩
1부터 100까지의 수칩이 있어요.
연두색, 하늘색, 빨간색 3가지 색깔의 수칩이 있어요.

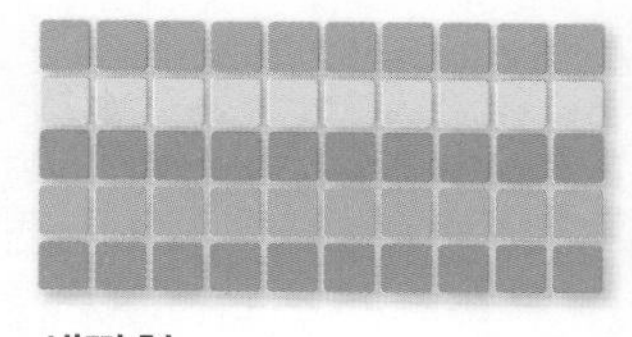

주황색, 노란색, 초록색,
하늘색, 보라색 5가지
색깔칩이 있어.

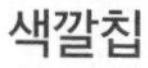

색깔칩
규칙을 만들 수 있어요.
여러 가지 모양을 만들 수 있어요.
게임말로 사용할 수 있어요.

수백판 상자
활동할 때 수칩이나 색깔칩을 넣어 사용해요.
활동이 끝나면 교구를 모두 넣어 정리해요.

큰 수 작은 수 주사위,
0~9와 00~90의
십면체 주사위, 1~20의
이십면체 주사위가 있어.

주사위
4종류의 주사위가 있어요.
크고 작은 수를 찾거나 조건에 맞는 수를 찾는 등
여러 활동에서 사용해요.

이 책의 차례

3부 100까지의 수

1 100까지의 수
2 100까지 수 읽기
3 수의 순서를 거꾸로 세기
4 빠진 수 찾기
5 가려진 수
6 백판 채우기
7 뛰어 세기
8 몇씩 몇 번 뛰어 세기
9 수의 크기 비교
10 큰 수부터 순서대로
11 큰 수, 작은 수

활동 1 100까지의 수

1부터 100까지의 수를 백판 보드에 놓아 봅시다.

1 백판 보드에 1~100의 수가 보이도록 판 카드를 넣어요.

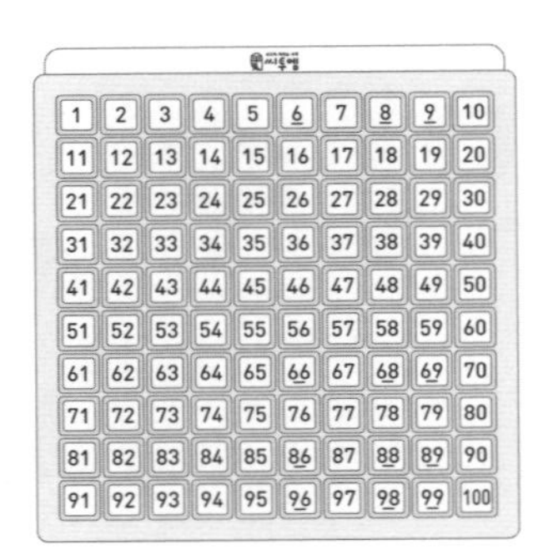

2 연두색, 하늘색, 빨간색 수칩을 수백판 상자에 자유롭게 펼쳐 놓아요.

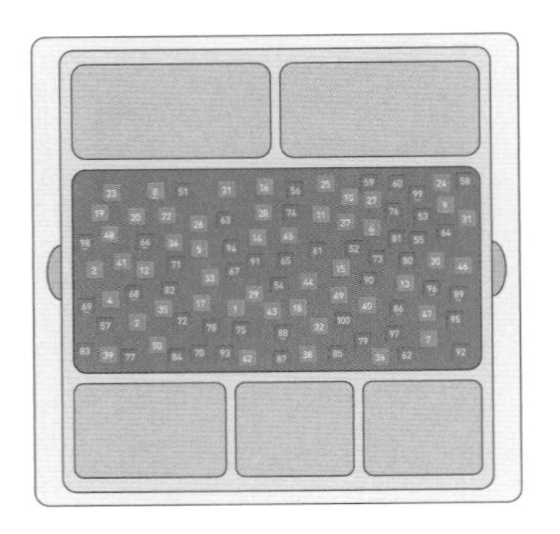

3 수칩을 수백판 상자에서 하나씩 꺼내 백판 보드의 수에 맞게 놓아요.

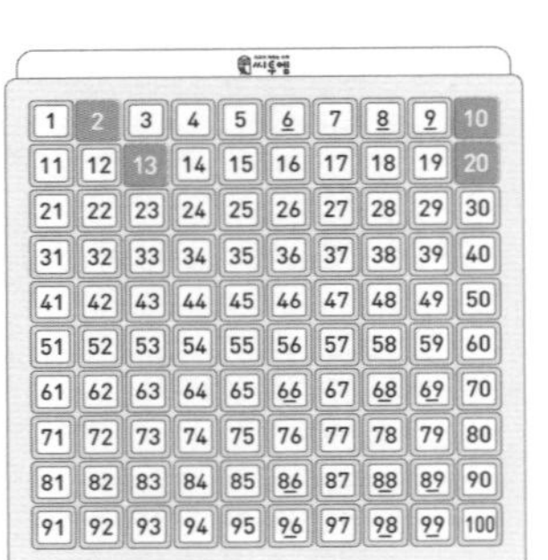

4 1부터 100까지의 수칩을 모두 놓아요.

준비물 백판 보드, 1-100 판 카드, 연두색/하늘색/빨간색 수칩, 수백판 상자

1원을 10개씩 묶어 세어 보세요. 모두 얼마인지 □ 안에 알맞은 수를 써넣으세요.

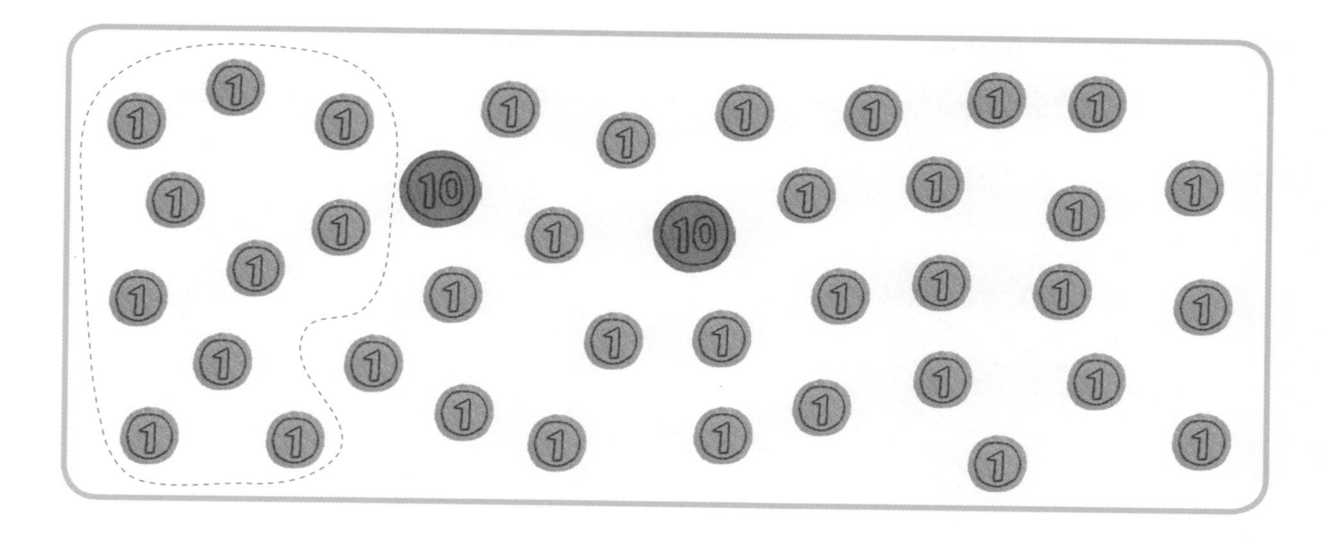

□ 원

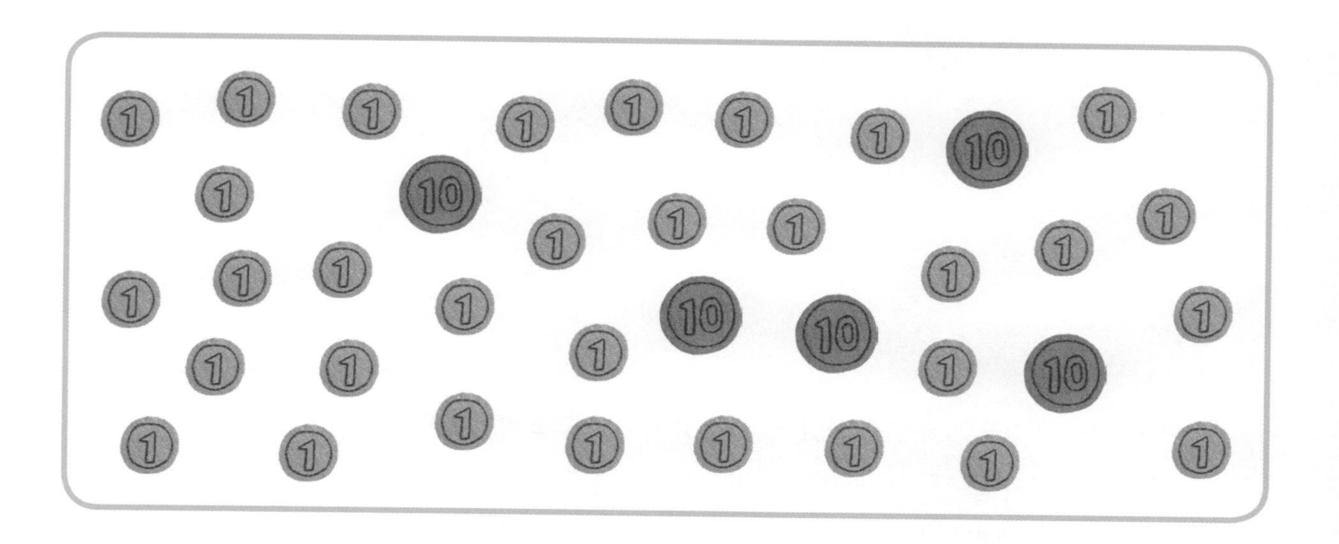

□ 원

100까지 수 읽기

1부터 100까지의 수 읽기를 알아봅시다.

1 백판 보드에 수 읽기 판 카드를 넣고, 십면체 주사위 2개를 준비해요.

2 십면체 주사위 2개를 굴려 나온 수를 찾아 색깔칩을 백판 보드에 놓아요.

3 만약 주사위를 굴려 나온 수에 이미 색깔칩이 있으면 주사위를 다시 굴려요.

4 여러 번 활동해 보고, 익숙해지면 양 읽기 판 카드를 넣어 활동해 보아요.

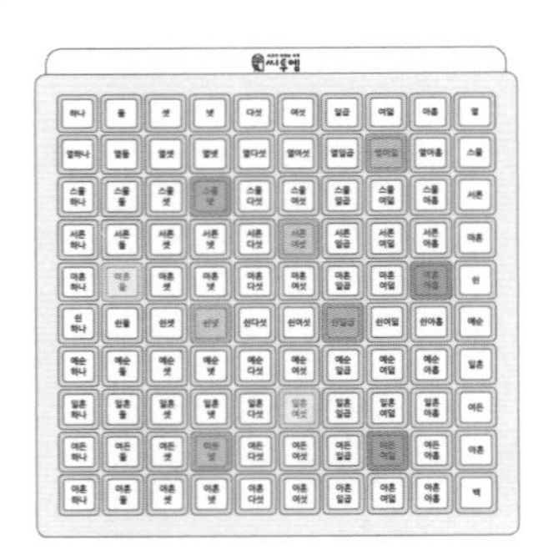

1 백판 보드에 수 읽기 카드를 넣고, 두 사람이 각자 다른 색깔칩을 **5**개씩 준비해요.

2 두 사람이 각자 십면체 주사위를 **1**개씩 나누어 가지고 굴려요.

3 두 사람이 동시에 주사위를 굴려 나온 수를 찾아 자신의 색깔칩을 놓아요.

4 주사위를 굴리고 칩을 놓다가 먼저 자신의 색깔칩 **5**개를 놓은 사람이 이겨요.

준비물 백판 보드, 수 읽기/양 읽기 판 카드, 색깔칩,
십면체 주사위 2개(0~9/00~90)

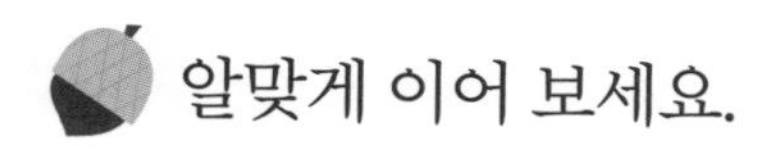

알맞게 이어 보세요.

구십오	68	일흔하나
육십팔	71	아흔다섯
칠십일	95	예순여덟

팔십	97	쉰여섯
구십칠	80	아흔일곱
오십육	56	여든

활동 3 수의 순서를 거꾸로 세기

수의 순서를 거꾸로 하여 수칩을 놓아 봅시다.

1 하늘색 수칩과 빨간색 수칩을 수백판 상자에 자유롭게 펼쳐 놓아요.

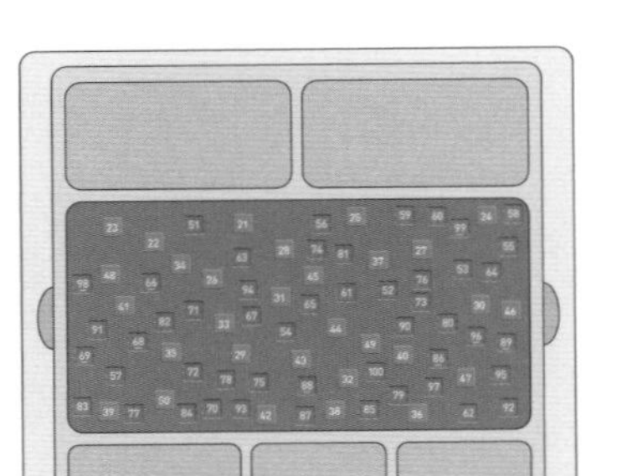

2 빨간색 수칩의 수를 보지 않고 하나 골라 백판 보드 맨 위 오른쪽 칸에 놓아요.

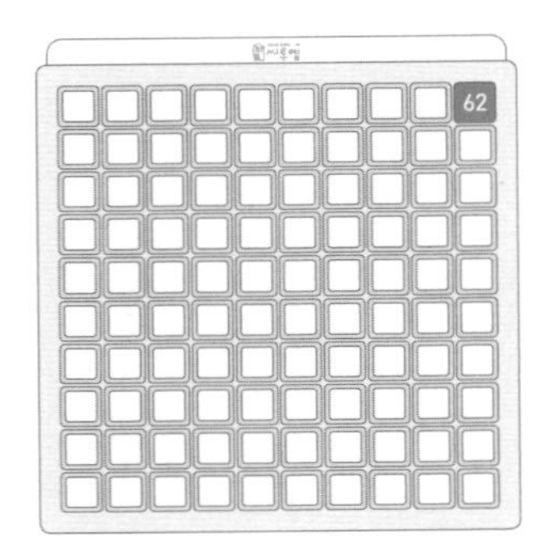

3 내가 고른 수칩의 수부터 수의 순서를 거꾸로 하여 수칩을 놓아 백판 맨 위의 한 줄을 채워요.

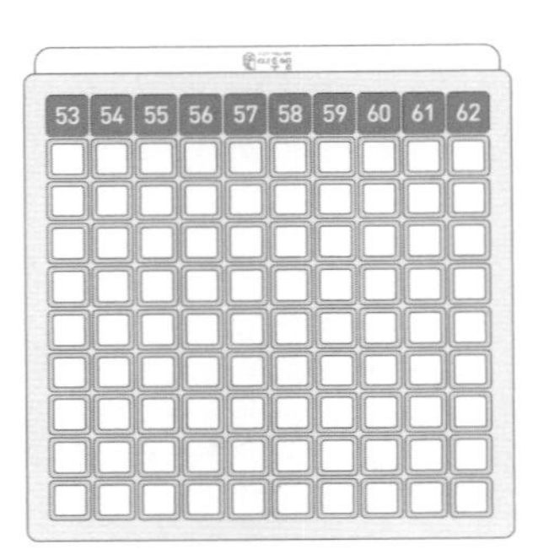

같이 해 볼까요

1 한 사람은 수칩 1, 다른 사람은 수칩 100을 찾아 백판 보드의 1과 100의 위치에 놓아요.

2 시작과 동시에 수칩 1을 가진 사람은 1부터 수의 순서대로, 수칩 100을 가진 사람은 100부터 수의 순서를 거꾸로 하여 백판 보드에 수칩을 놓아요.

3 수칩을 더 많이 놓은 사람이 이겨요. 만약 수칩을 더 많이 놓았더라도 수의 순서가 맞지 않으면 무조건 져요.

준비물 백판 보드, 하늘색/빨간색 수칩, 수백판 상자

순서에 맞게 빈칸에 알맞은 수를 써넣으세요.

51		73		71	70	
52	75		89			68
53		91			86	
				96		66
	78	93			84	
56	79		81		83	64
57	58	59		61		63

활동 4

빠진 수 찾기

51부터 100까지의 수 중에서 빠진 수를 찾아봅시다.

1 빨간색 수칩을 수가 보이지 않게 놓은 다음 1개를 뽑고, 나머지 칩은 상자에 넣어요.

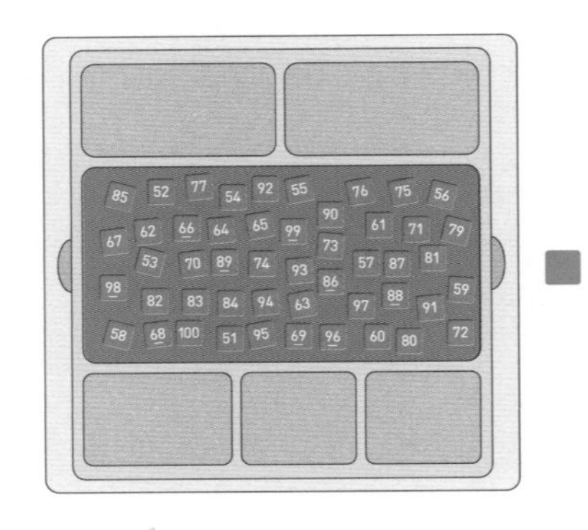

2 수백판 상자에 있는 수칩을 백판 보드에 놓아 보면서 빠진 수를 찾아요.

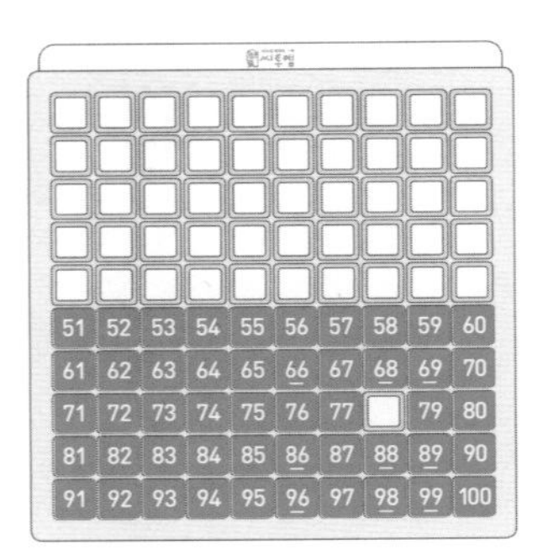

3 빠진 수를 말하고, 뒤집은 수칩의 수를 확인해요.

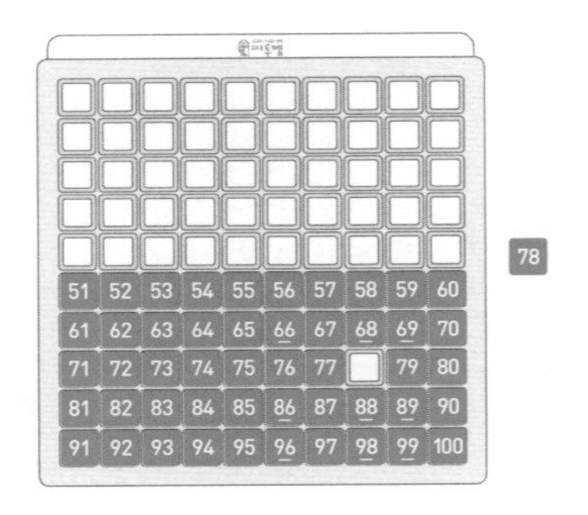

백판 보드에
수칩을 놓으면서 빠진
수를 찾아봐!

1 빨간색 수칩을 수백판 상자에 넣어요.
2 한 사람이 상대방이 모르게 수칩을 하나 골라 수를 확인하고, 수가 보이지 않게 가지고 있어요.
3 다른 사람은 상대방이 가지고 있는 수칩의 수를 맞혀요.
4 서로 역할을 바꾸어 게임을 해 보아요.

51부터 70까지의 수 중에서 없는 수 하나를 찾아 □ 안에 써넣으세요.

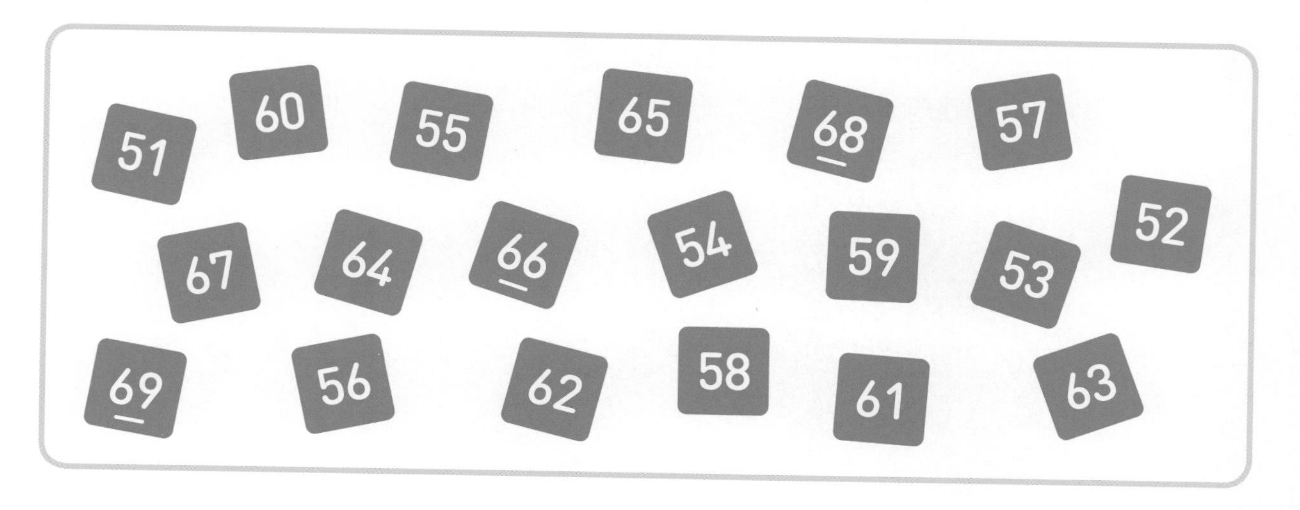

□

81부터 100까지의 수 중에서 없는 수 하나를 찾아 □ 안에 써넣으세요.

□

활동 5

가려진 수

가려진 수를 찾아봅시다.

1 백판 보드에 1~100의 수가 보이도록 판 카드를 넣고, 수칩 10개를 골라요.

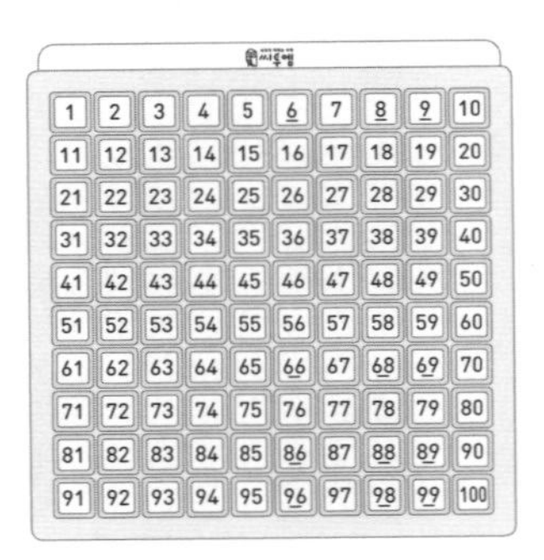

2 백판 보드에 내가 고른 수칩 10개와 같은 수를 찾아 수가 보이지 않게 놓아요.

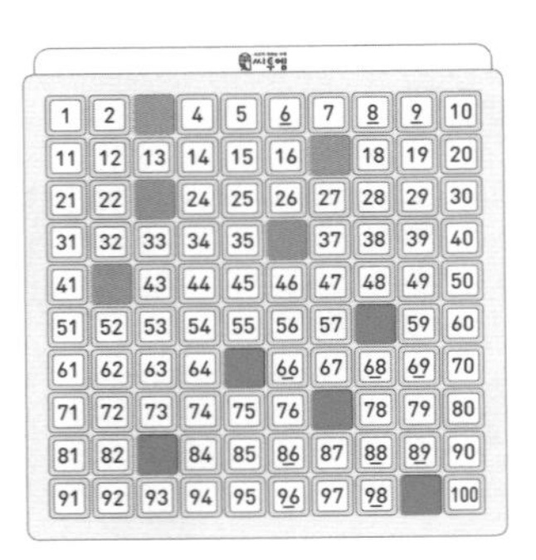

3 백판 보드에서 1-100 판 카드를 빼요. 수칩 1개를 가리키며 칩의 수를 말해요.

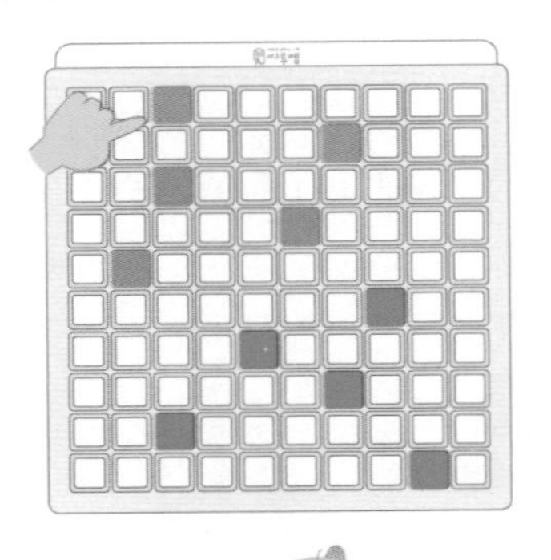

4 수칩을 뒤집어 수를 올바르게 말했는지 확인해요.

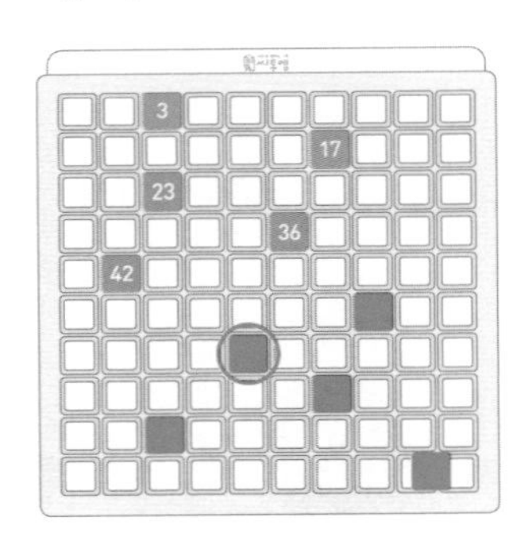

65!
수칩을 뒤집어
확인해 봐야겠어.

같이 해 볼까요

1 한 사람이 백판 보드에 **1~100**의 수가 보이도록 판 카드를 넣고, 수칩 **5**개를 골라요.

2 백판 보드에 내가 고른 수칩과 같은 수를 찾아 수칩을 놓고, 판 카드를 뺀 후 상대방에게 백판 보드를 보여줘요.

3 상대방은 수칩의 수를 말하고 뒤집어 올바르게 말했는지 확인해요.

4 수칩의 수를 올바르게 말했다면 수칩을 가져가요. 수칩의 개수가 자신의 점수에요.

5 역할을 바꾸어 게임하고, 점수가 더 높은 사람이 이겨요.

준비물 백판 보드, 1-100 판 카드,
연두색/하늘색/빨간색 수칩

 수 배열표의 일부에요. 빈칸에 알맞은 수를 써넣으세요.

13
31 32

39
50
58

28
47

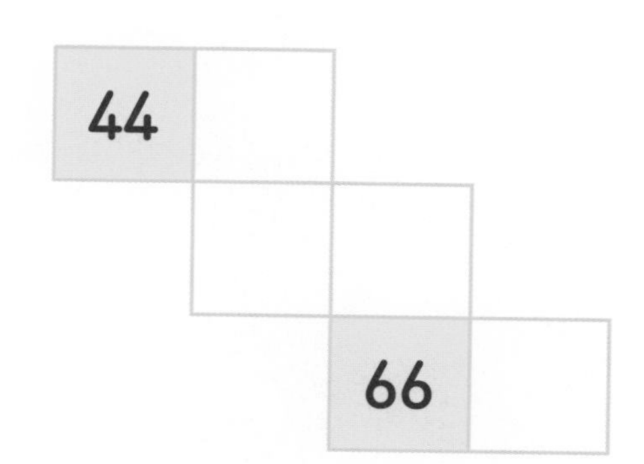

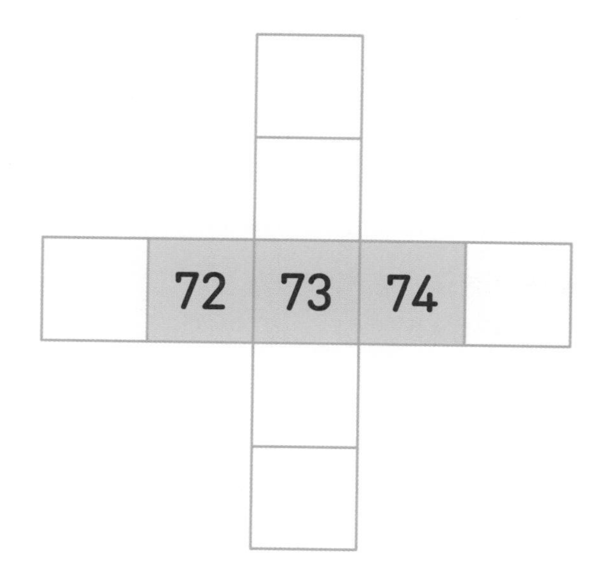

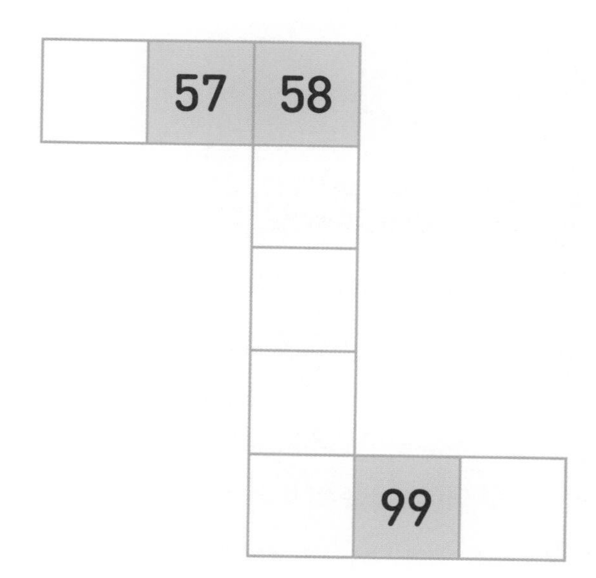

활동 6

백판 채우기

100까지의 수를 백판 보드에 채워 봅시다.

1 수칩을 모두 수백판 상자에 넣고, 백판 보드를 준비해요.

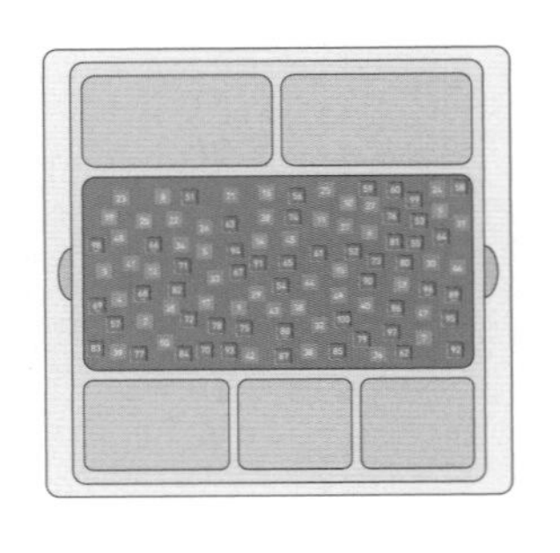

2 스톱워치 시작과 동시에 수칩을 자리에 맞게 백판 보드를 채워요.

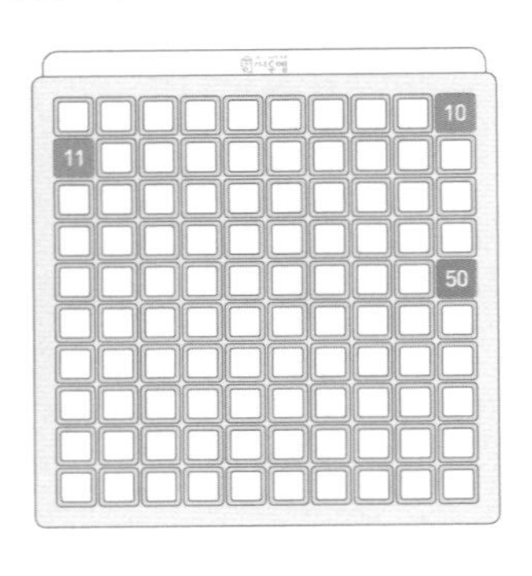

3 다 채우면 스톱워치를 종료해요. 수칩을 모두 올바르게 채웠다면 걸린 시간을 기록해요. 만약 잘못 놓은 수칩이 있으면 수칩 1개당 10초씩 더해요. 나의 기록을 표에 기록해요.

나의 기록

	1회	2회	3회	4회
시간	분 초	분 초	분 초	분 초

같이 해 볼까요

1 백판 보드와 연두색 수칩, 하늘색 수칩, 빨간색 수칩을 준비해요.
2 한 사람은 시간을 재고, 다른 사람은 수칩으로 백판 보드를 채워요.
3 수칩을 모두 올바르게 채웠다면 걸린 시간을 기록하고, 잘못 놓은 수칩이 있으면 수칩 1개당 10초씩 더한 점수가 자신의 기록이에요.
4 역할을 바꾸어 게임을 하고 두 사람의 기록을 비교하여 시간이 더 적게 걸린 사람이 이겨요.

준비물 백판 보드, 연두색/하늘색/빨간색 수칩, 수백판 상자

다음 수 배열표에서 각 모양의 수를 찾아 □ 안에 써넣으세요.

1									
				▲					
									■
	●								
						♥			
		★							
								♣	
▣									
							◈		
			◉						100

▲ = □　　■ = □　　● = □

♥ = □　　★ = □　　♣ = □

▣ = □　　◈ = □　　◉ = □

활동 7 뛰어 세기

주사위를 굴려 나온 수만큼 뛰어 센 수를 찾아봅시다.

1 백판 보드에 1~100의 수가 보이도록 판 카드를 넣어요.

2 십면체 주사위(0~9)를 굴려 나온 수에 색깔 칩을 놓아요.

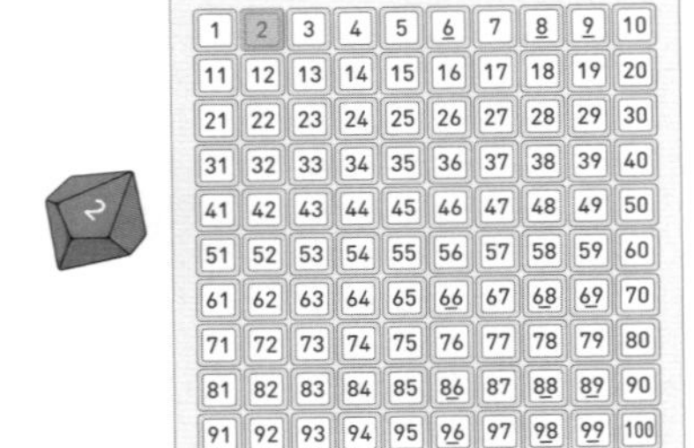

3 십면체 주사위(0~9)를 한 번 더 굴려 나온 수만큼 뛰어 세면서 색깔칩 9개를 놓아요.

2부터 **3**씩 뛰어 센 수

4 같은 방법으로 여러 번 활동해 보아요.

주사위를 굴려 '0'이 나오면 '10'부터 뛰어 세거나 '10'만큼 뛰어 세어 색깔칩을 놓아.

준비물 백판 보드, 1-100 판 카드, 색깔칩,
십면체 주사위(0~9)

주어진 조건만큼 뛰어 센 수를 따라 미로를 통과하세요.

2부터 2씩 뛰어 세기

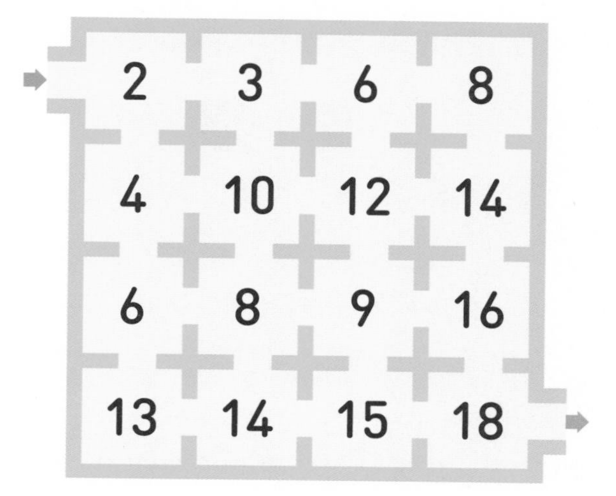

3부터 3씩 뛰어 세기

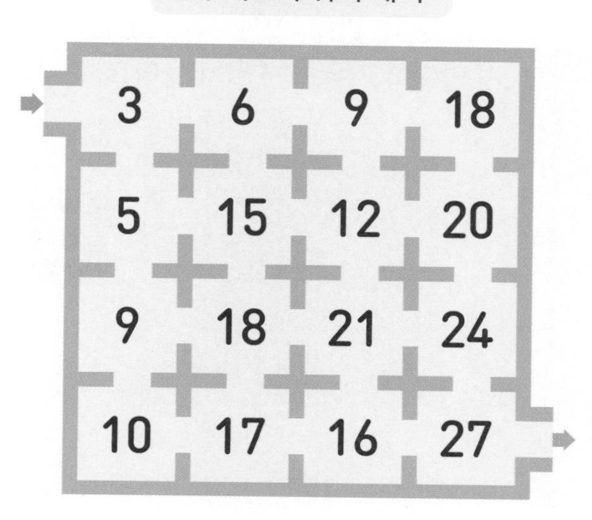

4부터 5씩 뛰어 세기

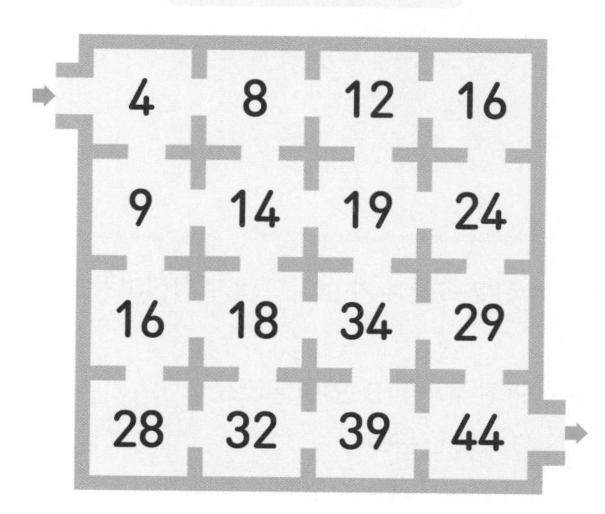

2부터 6씩 뛰어 세기

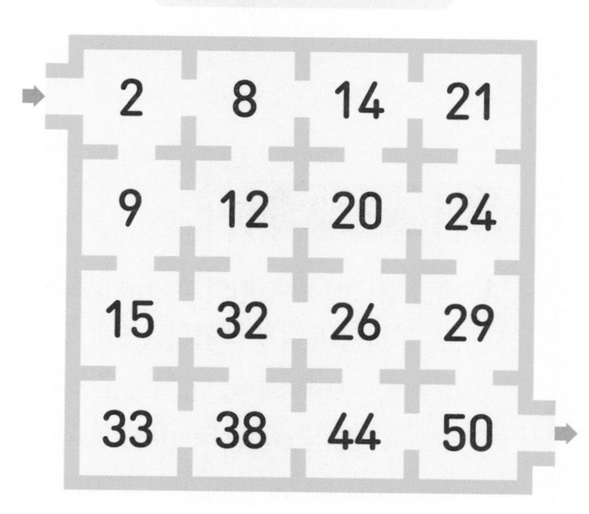

활동 8

몇씩 몇 번 뛰어 세기

몇씩 몇 번 뛰어 센 수를 찾아봅시다.

1 백판 보드에 1~100의 수가 보이도록 판 카드를 넣고, 2부터 9까지의 수칩을 수가 보이지 않도록 자유롭게 펼쳐 놓아요.

2 연두색 수칩 8개 중 1개를 골라 수가 보이도록 놓고, 십면체 주사위(0~9)를 굴려요.

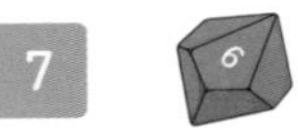

3 수칩의 수는 0부터 시작하여 몇씩, 주사위를 굴려 나온 수는 뛰어 센 횟수를 나타내요. 만약 주사위의 눈이 '0'이 나오면 '10'번 뛰어 센 수를 찾아요. 조건에 맞는 수를 찾아 색깔칩을 놓아요.

0부터 7씩 6번 뛰어 세면
7, 14, 21, 28, 35, 42.
7씩 6번 뛰어 센 수는 42야.

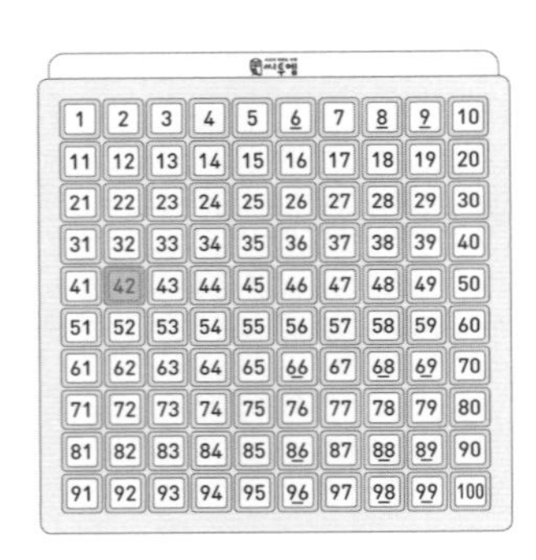

같이 해 볼까요

1 백판 보드에 **1~100**의 수가 보이도록 판 카드를 넣고, 수칩 **2~9**를 수가 보이지 않게 뒤집어 놓아요. 두 사람이 각자 색깔칩을 **5**개씩 준비해요.

2 한 사람은 연두색 수칩 중 **1**개를 고르고, 다른 사람은 십면체 주사위(**0~9**)를 굴려요.

3 수칩은 **0**부터 시작하여 몇씩 주사위의 수는 몇 번 뛰어 센 수를 나타내요.

4 두 사람이 동시에 조건에 맞는 수를 찾아 백판 보드에 자신의 색깔칩을 놓아요.

5 자신의 색깔칩을 더 많이 놓은 사람이 이겨요.

준비물 백판 보드, 1-100 판 카드, 연두색 수칩(2~9), 색깔칩, 십면체 주사위(0~9)

0부터 시작하여 주어진 방법으로 뛰어 센 수를 찾아 색칠하세요.

2씩 6번 뛰어 센 수 =	3씩 10번 뛰어 센 수 =	5씩 7번 뛰어 센 수 =
6씩 8번 뛰어 센 수 =	8씩 8번 뛰어 센 수 =	9씩 9번 뛰어 센 수 =

1	2	3	4	5	6	7	8	9	10
11	12	13	14	15	16	17	18	19	20
21	22	23	24	25	26	27	28	29	30
31	32	33	34	35	36	37	38	39	40
41	42	43	44	45	46	47	48	49	50
51	52	53	54	55	56	57	58	59	60
61	62	63	64	65	66	67	68	69	70
71	72	73	74	75	76	77	78	79	80
81	82	83	84	85	86	87	88	89	90
91	92	93	94	95	96	97	98	99	100

활동 9 수의 크기 비교

수의 크기를 비교하여 더 큰 수를 찾아봅시다.

1 빨간색 수칩을 수가 보이지 않게 자유롭게 펼쳐 놓고, 5개를 가져와요.

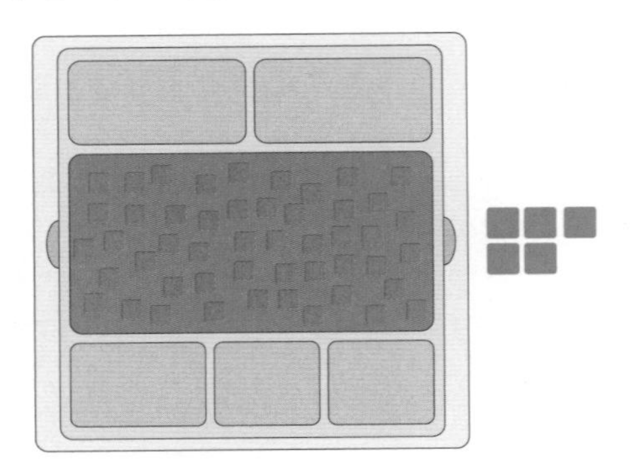

2 백판 보드에 작은 수부터 순서대로 놓아요. 가장 큰 수와 가장 작은 수를 말해 보아요.

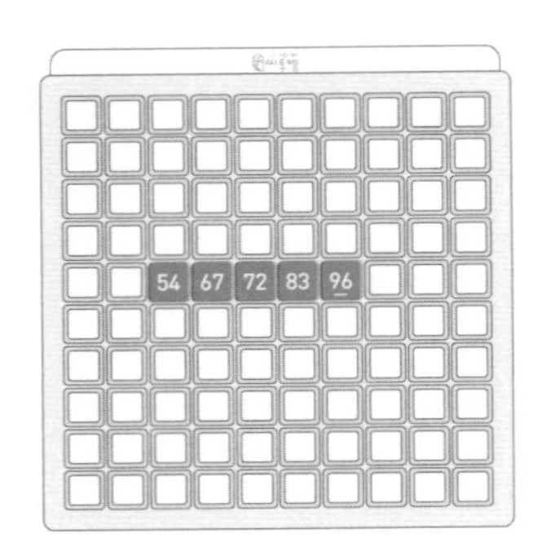

3 이번에는 같은 방법으로 큰 수부터 순서대로 수칩을 백판 보드에 놓아 보아요.

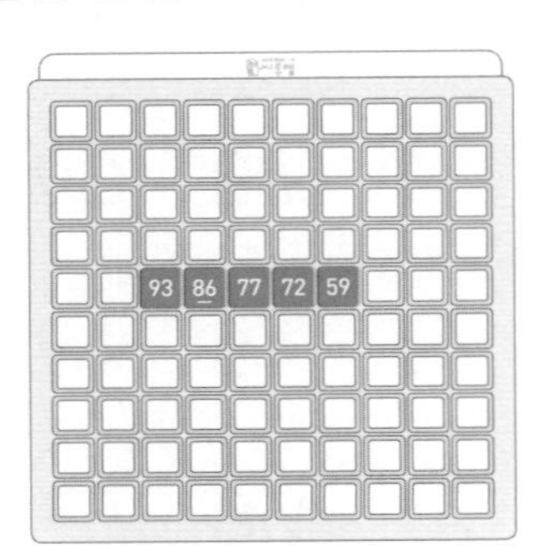

같이 해 볼까요

1 빨간색 수칩을 수가 보이지 않게 수백판 상자에 준비해요.
2 두 사람이 각자 칩을 **10**개씩 가져오고, 백판 보드의 맨 윗줄과 맨 아랫줄 중 자신의 수칩을 놓을 곳을 정해요.
3 시작과 동시에 자신의 수칩을 작은 수부터 수가 커지도록 백판 보드에 놓아요.
4 먼저 올바르게 놓은 사람이 이겨요.
5 같은 방법으로 큰 수부터 수가 작아지도록 놓는 게임도 해 보아요.

작은 수부터 수가 커지도록 순서대로 이어 보세요.

15	24	20
14	47	38
23	56	74

49	58	62
35	42	87
21	65	96

큰 수부터 수가 작아지도록 순서대로 이어 보세요.

89	72	92
95	64	51
80	70	48

76	81	73
62	54	92
93	47	34

큰 수부터 순서대로

수가 점점 커지도록 수칩을 놓아 봅시다.

1 빨간색 수칩을 수백판 상자에 수가 보이지 않게 자유롭게 펼쳐 놓아요.

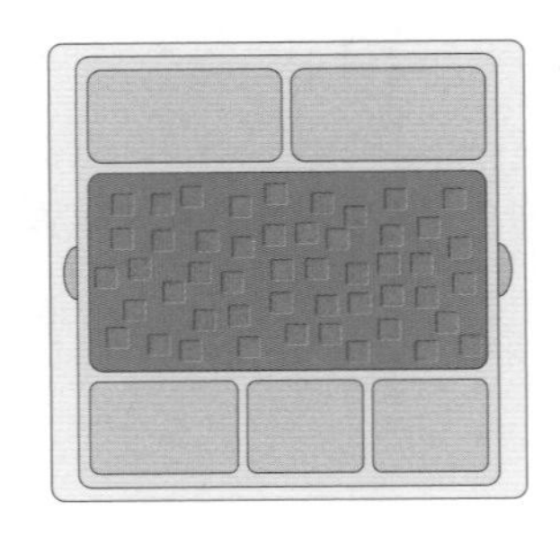

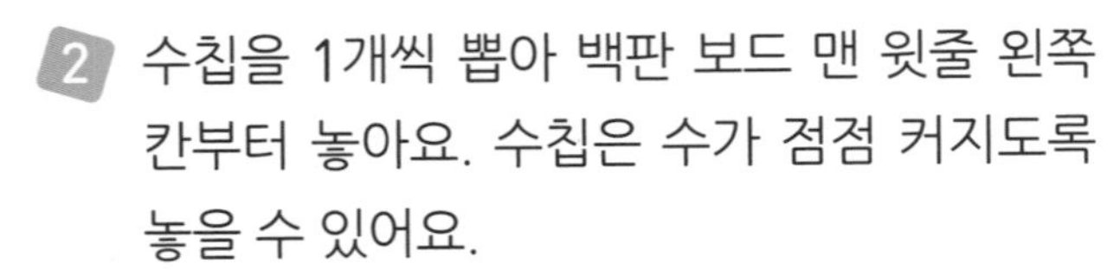

2 수칩을 1개씩 뽑아 백판 보드 맨 윗줄 왼쪽 칸부터 놓아요. 수칩은 수가 점점 커지도록 놓을 수 있어요.

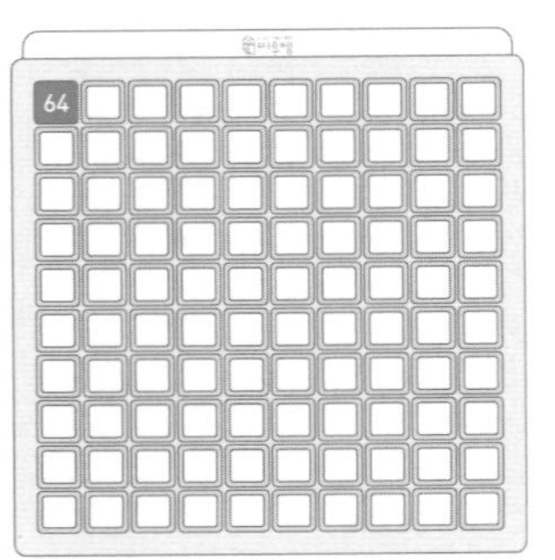

3 만약 고른 수가 백판 보드의 수보다 작은 수이거나 백판 보드에 놓지 않으려면 수칩을 수가 보이지 않게 수백판 상자에 넣어요.

4 맨 윗줄 10칸을 모두 채울 때까지 수칩을 뽑아 보아요. 이번에는 같은 방법으로 수가 점점 작아지도록 활동해 보아요.

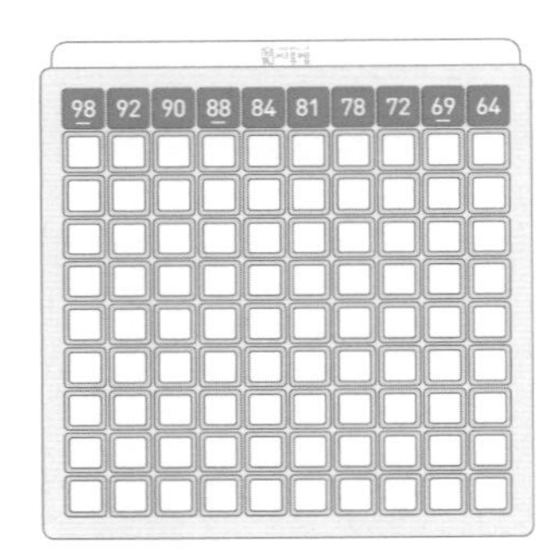

같이 해 볼까요

1 수백판 상자에 수가 보이지 않게 빨간색 수칩을 준비해요.

2 두 사람이 각자 백판 보드 맨 윗줄과 맨 아랫줄 중에서 자신의 칩을 놓을 위치를 정해요.

3 번갈아 가며 1개씩 수칩을 뽑고 자신의 수칩을 백판 보드에 놓을지, 놓지 않을지 결정해요. 한 번 놓은 수칩은 자리를 옮길 수 없어요.

4 자신이 뽑은 수칩을 백판 보드에 놓지 않으려면 다시 수백판 상자에 수가 보이지 않게 넣어요.

5 수가 점점 커지도록 10칸을 먼저 채운 사람이 이겨요.

수가 점점 커지도록 수칩을 놓으려다 2개를 잘못 놓았어요. 잘못 놓은 수칩 2개를 찾아 ×표 하고, 수가 커지도록 □ 안에 알맞은 수를 써넣으세요.

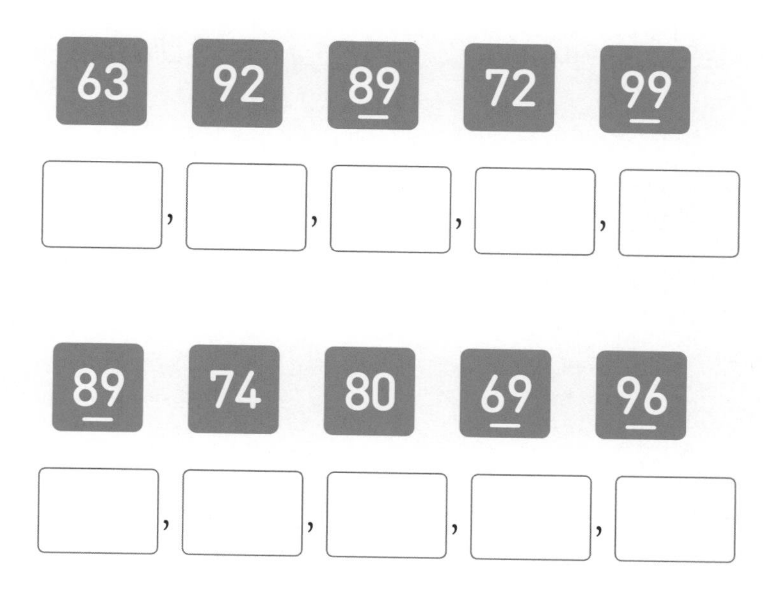

수가 점점 작아지도록 수칩을 놓으려다 2개를 잘못 놓았어요. 잘못 놓은 수칩 2개를 찾아 ×표 하고, 수가 작아지도록 □ 안에 알맞은 수를 써넣으세요.

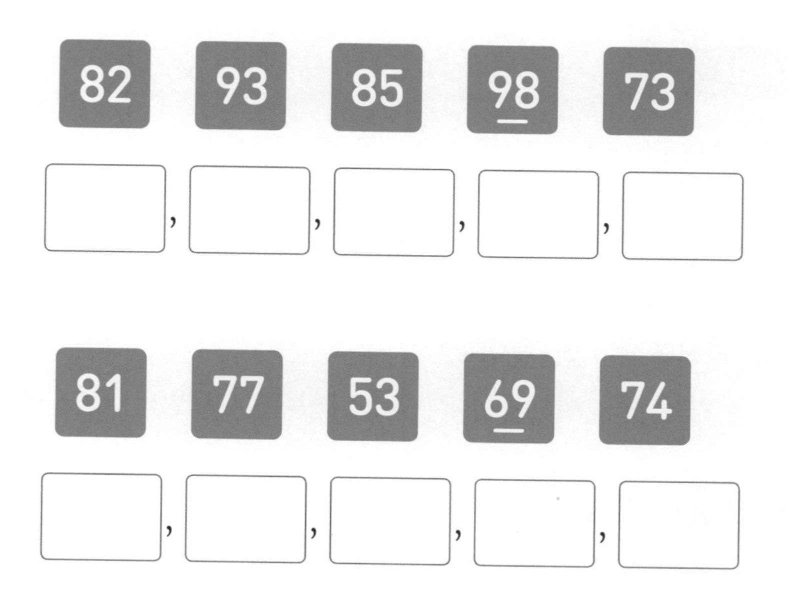

활동 11

큰 수, 작은 수

조건에 맞는 큰 수, 작은 수를 찾아봅시다.

1 백판 보드에 1~100의 수가 보이도록 판 카드를 넣고, 백판 보드의 55칸에 색깔칩 1개 놓아요.

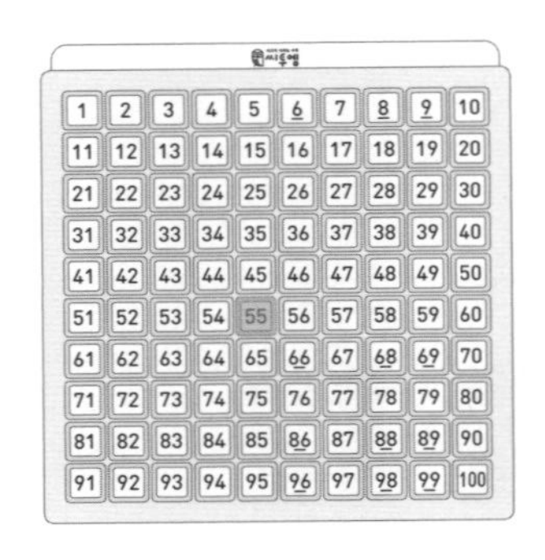

2 큰 수 작은 수 주사위를 굴리고, 55를 기준으로 조건에 맞는 수를 찾아 색깔칩을 놓아요.

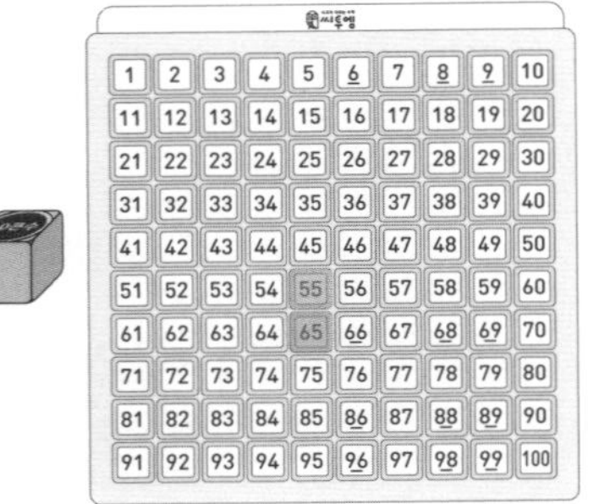

3 다시 주사위를 굴리고, 55를 기준으로 조건에 맞는 수를 찾아 색깔칩을 놓아요. 만약 조건에 맞는 수에 색깔칩이 있다면 다시 굴려요.

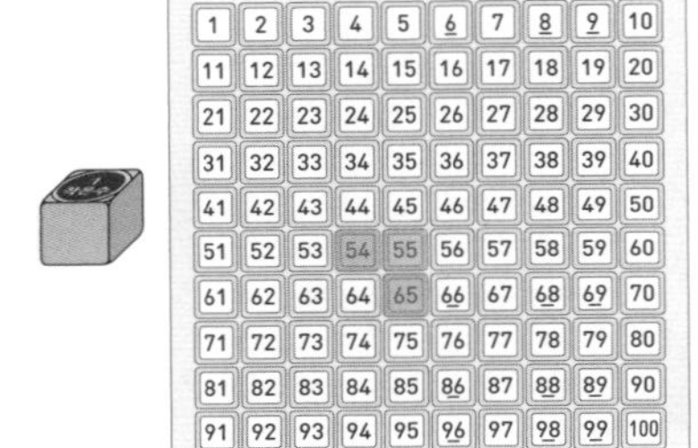

같이 해 볼까요

1 백판 보드에 **1~100**의 수가 보이도록 판 카드를 넣고, 두 사람이 각자 색깔칩을 **7**개씩 준비해요.

2 한 사람이 먼저 십면체 주사위 **2**개와 큰 수 작은 수 주사위를 굴리고, 조건에 맞는 칸에 자신의 색깔칩을 놓아요.

3 조건에 맞는 수가 **1~100**의 수에 없으면 주사위를 다시 굴려요. 상대방도 같은 방법으로 주사위 **3**개를 굴리고, 자신의 색깔칩을 놓아요.

4 만약 자신이 색깔칩을 놓을 위치에 상대방의 칩이 있다면 상대방의 색깔칩을 빼고 자신의 색깔칩을 놓아요.

5 번갈아 가며 게임을 하다 자신의 색깔칩 **7**개를 백판 보드에 모두 놓은 사람이 이겨요.

준비물 백판 보드, 색깔칩, 큰 수 작은 수 주사위

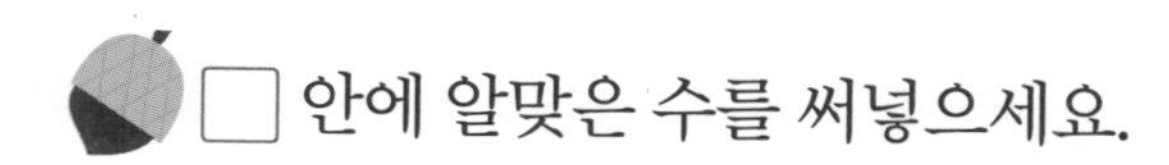

□ 안에 알맞은 수를 써넣으세요.

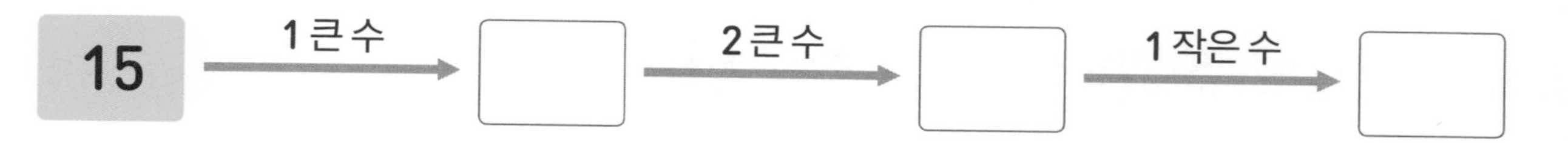

15 —1 큰 수→ □ —2 큰 수→ □ —1 작은 수→ □

36 —1 작은 수→ □ —2 작은 수→ □ —1 큰 수→ □

41 —2 큰 수→ □ —10 큰 수→ □ —1 작은 수→ □

60 —10 큰 수→ □ —2 작은 수→ □ —10 큰 수→ □

84 —10 작은 수→ □ —2 큰 수→ □ —1 작은 수→ □

89 —10 큰 수→ □ —2 작은 수→ □ —1 큰 수→ □

확인학습1

1 알맞게 이어 보세요.

60	칠십	여든
70	구십	예순
80	육십	아흔
90	팔십	일흔

2 도넛을 다음과 같은 상자에 담으려고 해요. 도넛을 모두 담으려면 상자는 몇 개가 필요한지 □ 안에 알맞은 수를 써넣으세요.

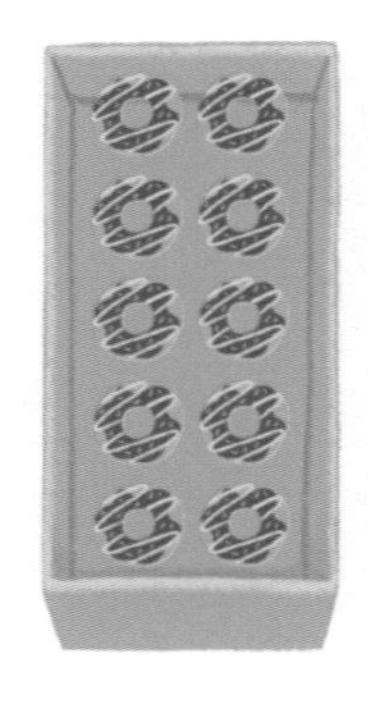

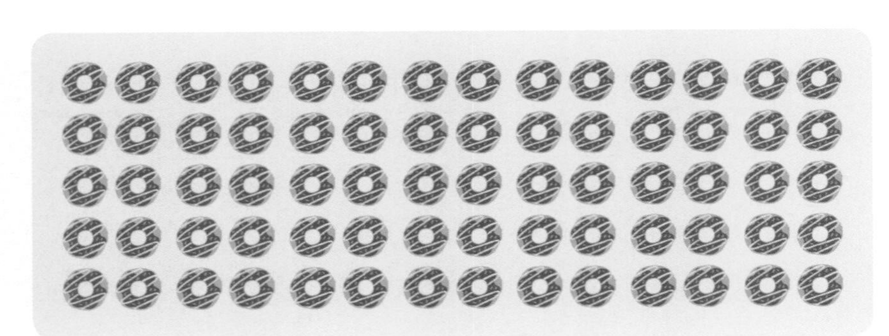

□개

3 빈칸에 알맞은 수를 써넣으세요.

78 79  81   84

4 뛰어 센 규칙을 찾아 빈칸에 알맞은 수를 써넣으세요.

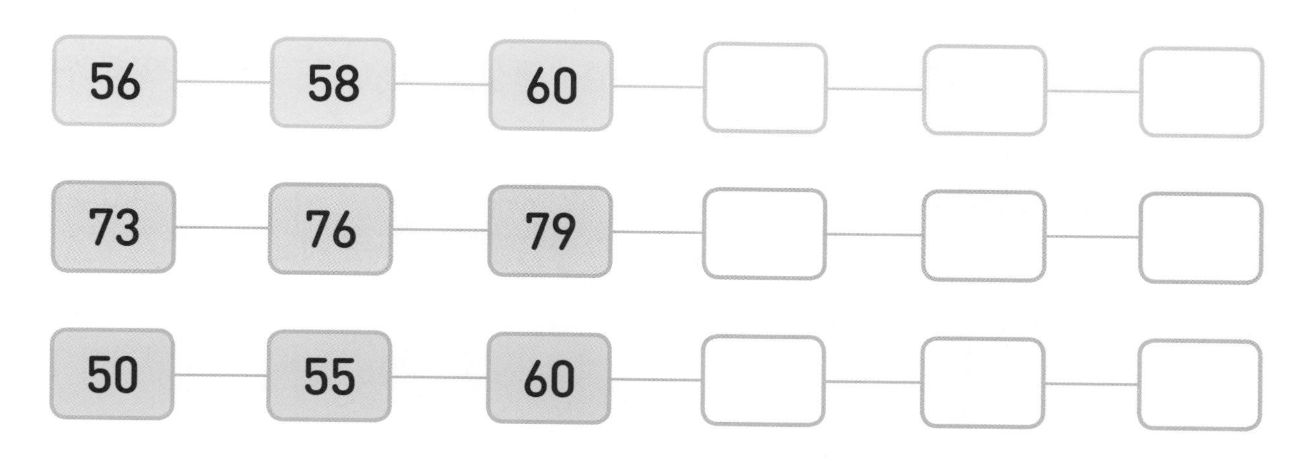

5 세 수 중 가장 큰 수에 ◯표, 가장 작은 수에 △표 하세요.

6 아현이는 구슬을 79개, 인성이는 81개 가졌어요. 세람이는 아현이보다 1개 더 많이 가졌어요. 구슬을 가장 많이 가진 순서대로 이름을 써 보세요.

( ), ( ), ( )

확인학습2

1 알맞게 이어 보세요.

10개 묶음 9개, 낱개 7개인 수	팔십삼	일흔여섯
10개 묶음 8개, 낱개 3개인 수	칠십육	아흔일곱
10개 묶음 7개, 낱개 6개인 수	구십칠	여든셋

2 10개씩 묶어 사탕이 모두 몇 개인지 세어 보세요.

☐개

3 빈칸에 알맞은 수를 써넣으세요.

100	99	98				94
82	81			78		76

4 주어진 수에서 시작하여 몇 번 뛰어 센 수는 얼마인지 □ 안에 알맞은 수를 써넣으세요.

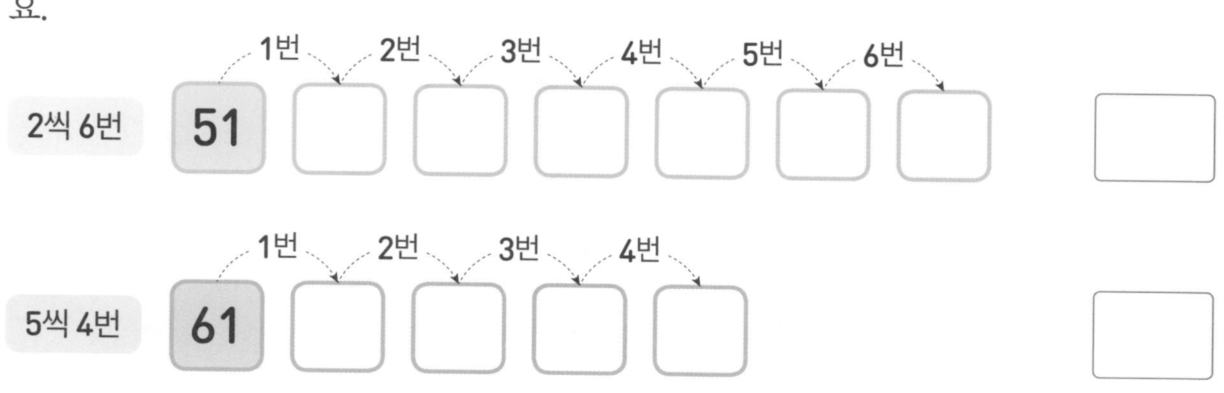

5 수가 점점 작아지도록 구슬을 놓으려다 2개를 잘못 놓았어요. 잘못 놓은 구슬 2개를 찾아 ×표 하세요.

6 수 배열표의 일부에요. 빈칸에 알맞은 수를 써넣으세요.

33		35
	44	
53		

	78	
87		89
	98	

확인학습3

1 알맞게 이어 보세요.

육십이	94	여든다섯
구십사	85	예순둘
팔십오	62	아흔넷

2 빈칸에 알맞은 수를 써넣으세요.

수	10개씩 묶음	낱개
52		2
64		
	8	5

3 규칙을 찾아 빈칸에 알맞은 수를 써넣으세요.

38	39		41
45		43	42
	47		
53		51	50

82	83		88
84	86	89	
85			95
	92	96	

4 주어진 조건만큼 뛰어 센 수는 얼마인지 □ 안에 알맞은 수를 써넣으세요.

22부터 2씩 6번 뛰어 센 수 = □

47부터 3씩 5번 뛰어 센 수 = □

51부터 5씩 4번 뛰어 센 수 = □

71부터 2씩 9번 뛰어 센 수 = □

5 가장 작은 수에 ○표 하세요.

63보다 10 작은 수	55보다 1 작은 수	42보다 10 큰 수

6 수 배열표의 일부에요. 빈칸에 알맞은 수를 써넣으세요.

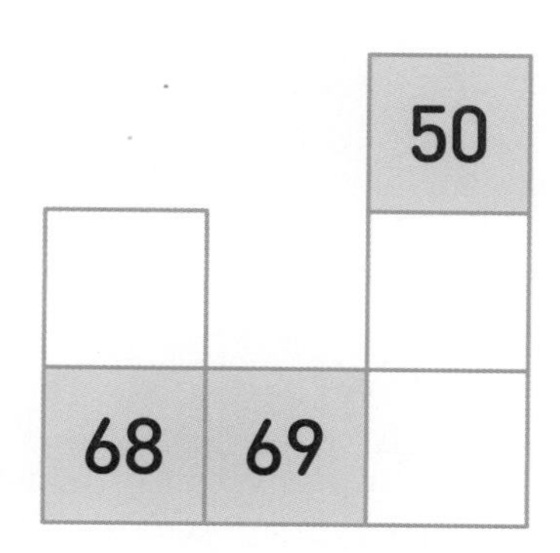

4부 천판과 연산

활동 12

몇백

몇백을 알아봅시다.

1 백판 보드에 10~1000의 수가 보이도록 판 카드를 넣어요.

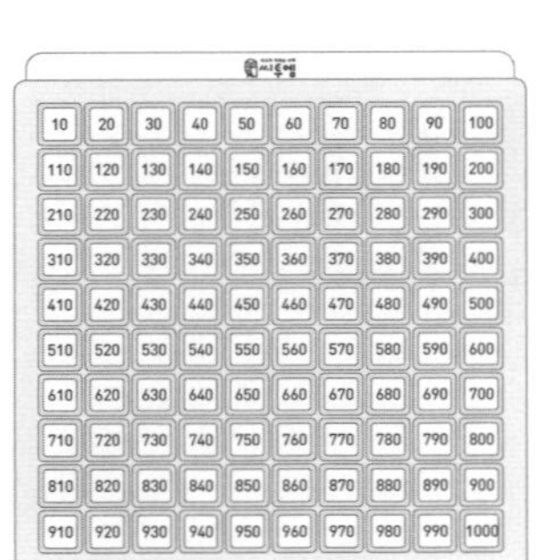

2 100, 200, 300, ……, 800, 900, 1000에 색깔칩 10개를 놓아요.

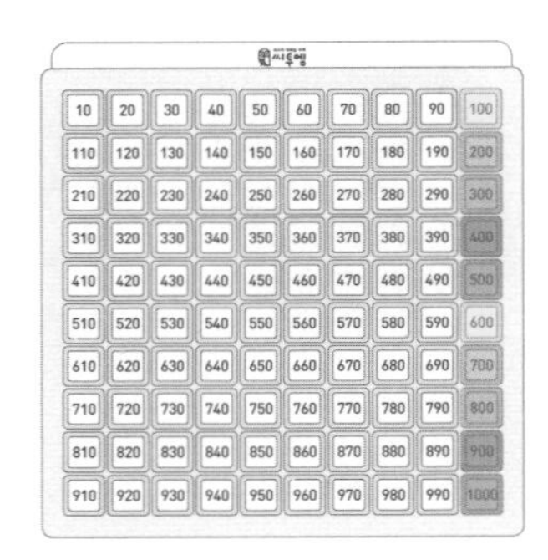

3 색깔칩을 100부터 하나씩 빼면서 수를 읽어요.

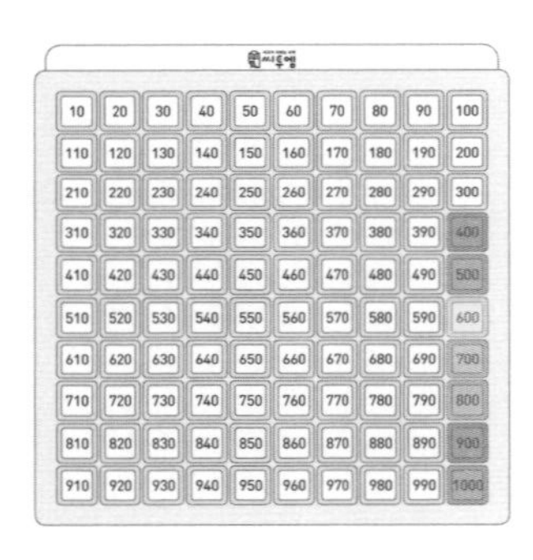

같이 해 볼까요

1 백판 보드에 **10~1000**의 수가 보이도록 판 카드를 넣고, 두 사람이 각자 색깔칩을 **7**개씩 준비해요.

2 먼저 한 사람이 십면체 주사위(**0~9**)를 굴려요. 이때 주사위를 굴려 나온 수는 백의 자리 수를 나타내요. 주사위를 굴려 나온 수가 '**00**'이면 '**10**'으로 하여 '**1000**'에 색깔칩을 놓아요.

3 주사위를 굴려 나온 수를 두 사람이 동시에 찾아 자신의 색깔칩을 놓아요. 만약 주사위를 굴려 나온 수에 색깔칩이 있으면 그 색깔칩을 빼고 자신의 색깔칩을 놓아요.

4 번갈아 가며 주사위를 굴리고 칩을 놓다가 먼저 자신의 색깔칩 **7**개를 놓은 사람이 이겨요.

준비물 백판 보드, 10-1000 판 카드, 색깔칩

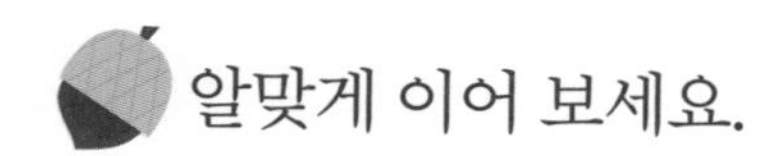

알맞게 이어 보세요.

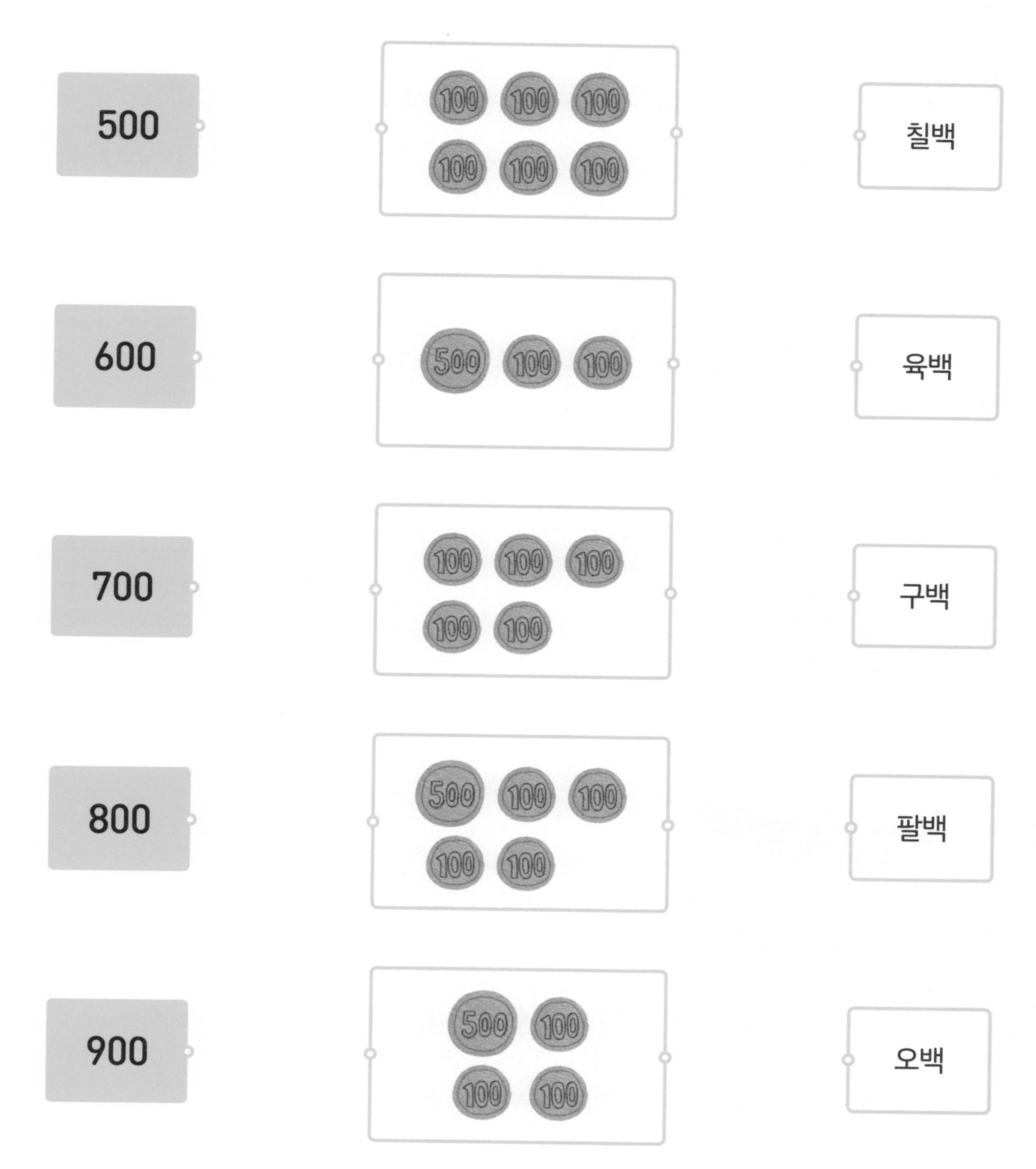

활동 13

몇백몇십

몇백몇십을 알아봅시다.

1 백판 보드에 10-1000의 수가 보이도록 판 카드를 넣고, 십면체 주사위 2개를 준비해요.

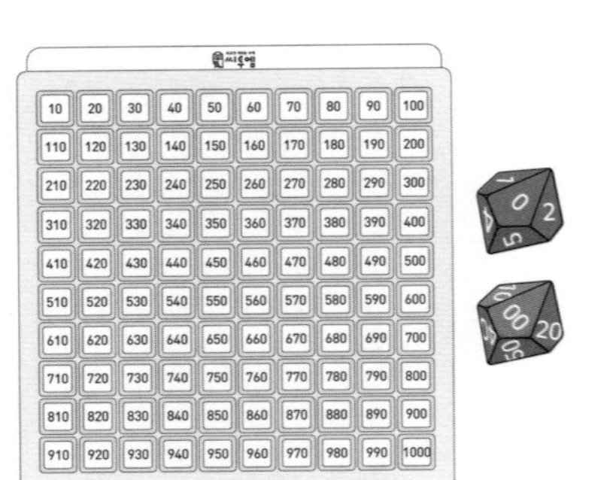

2 이때 십면체 주사위(0~9)는 백의 자리 수를, 십면체 주사위(00~90)는 몇십을 나타내요.

3 주사위 2개를 굴려 나온 수를 찾아 백판 보드에 색깔칩을 놓고, 수를 읽어 보아요.

4 만약 주사위를 굴려 나온 수에 색깔칩이 있으면 주사위를 다시 굴려요.

같이 해 볼까요

1 백판 보드에 **10~1000**의 수가 보이도록 판 카드를 넣고, 두 사람이 각자 색깔칩을 **7**개씩 준비해요. 두 사람이 십면체 주사위를 **1**개씩 나누어 가지고 동시에 굴려요.

2 이때 십면체 주사위(**0~9**)는 백의 자리를, 십면체 주사위(**00~90**)는 몇십을 나타내요.

3 두 사람이 동시에 주사위를 굴려 나온 수를 찾아 자신의 색깔칩을 놓아요. 만약 주사위를 굴려 나온 수에 색깔칩이 있으면 그 색깔칩을 빼고 자신의 색깔칩을 놓아요.

4 백판 보드에 먼저 자신의 색깔칩 **7**개를 놓은 사람이 이겨요.

준비물 백판 보드, 10-1000 판 카드, 색깔칩,
십면체 주사위 2개(0~9/00~90)

얼마인지 □ 안에 알맞은 수를 써넣으세요.

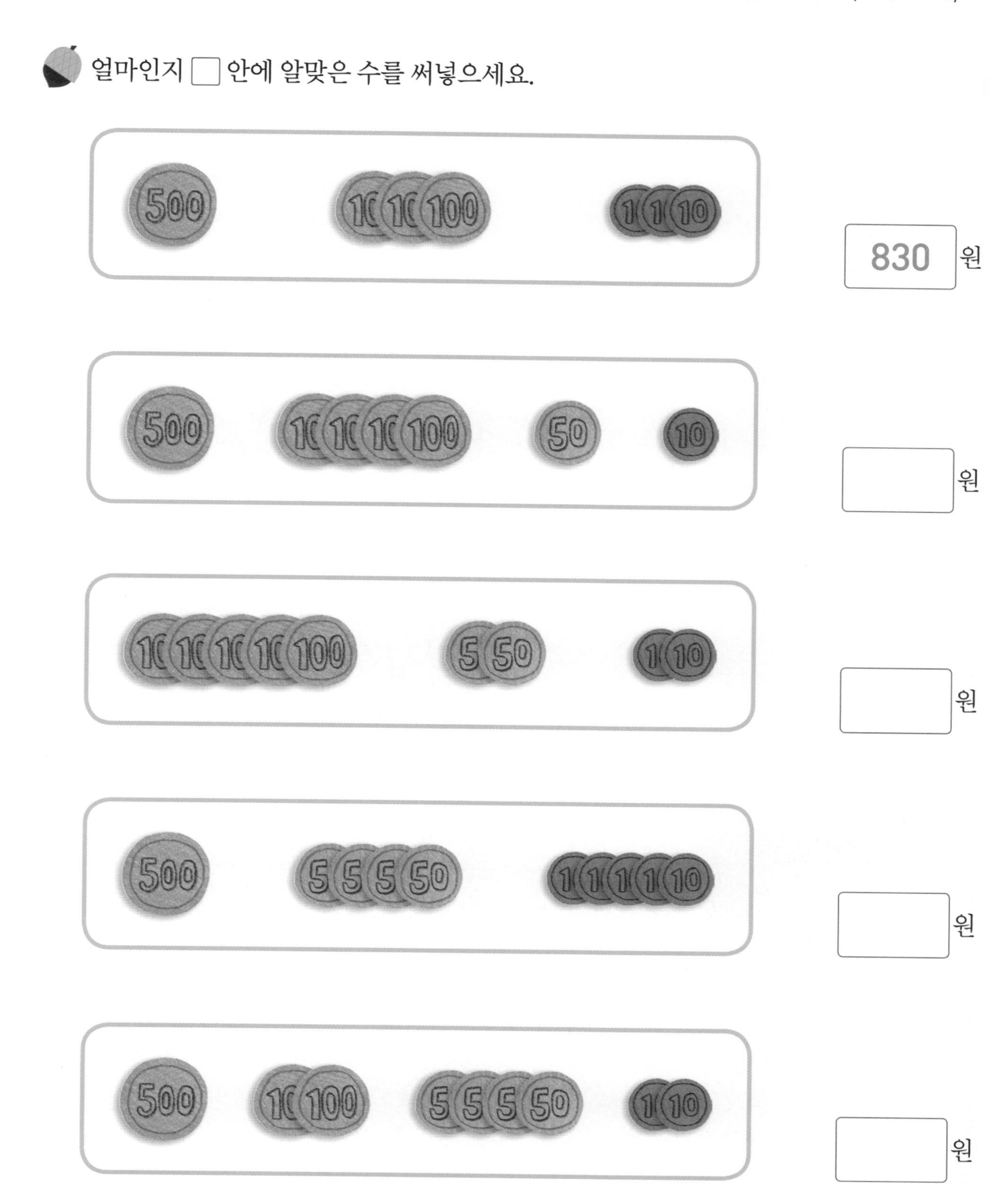

활동 14

천판 수 배열표

천판 수 배열표를 알아봅시다.

1 백판 보드에 10~1000의 수가 보이도록 판 카드를 넣고, 수백판 상자에 수가 보이지 않게 수칩을 모두 준비해요.

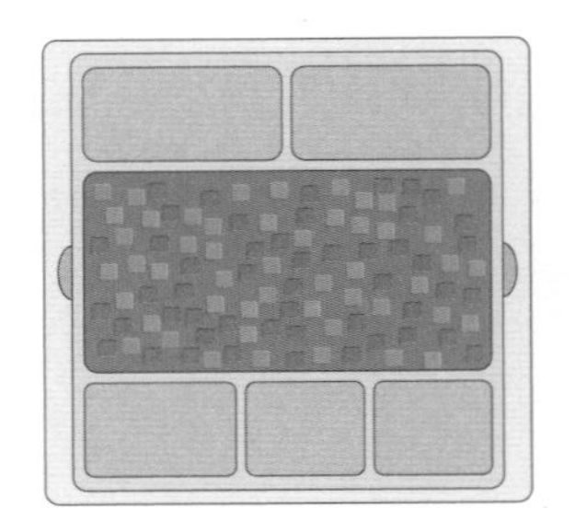

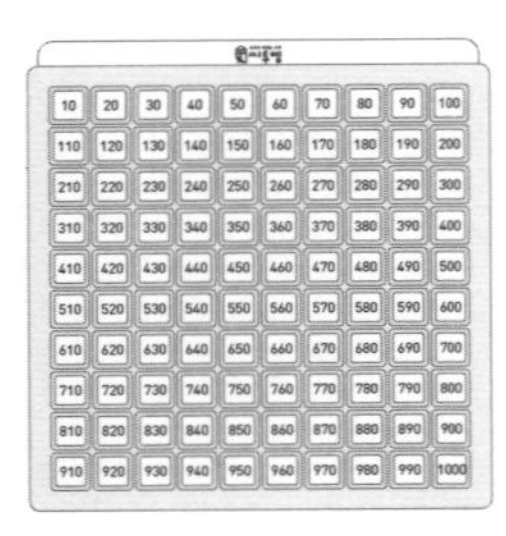

2 수칩을 10개 고른 후, 수칩의 수에 '0'을 붙여 세 자리 수(수칩 100은 1000)를 만들고 백판 보드의 같은 수에 놓아요.

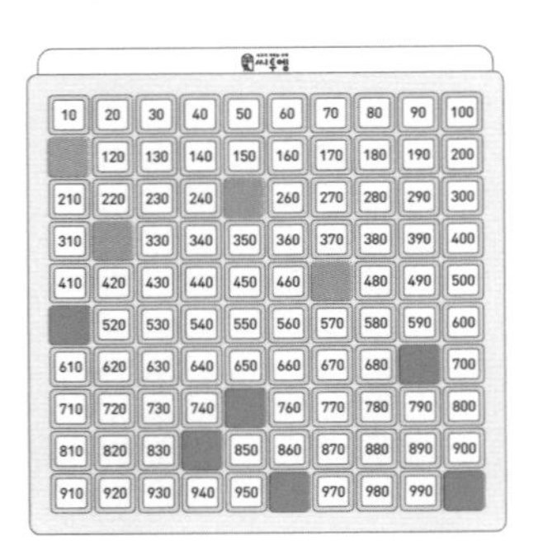

3 백판 보드에서 판 카드를 빼고, 수칩 1개를 가리키며 수를 말해요. 수칩을 뒤집어 올바르게 말했는지 확인해요.

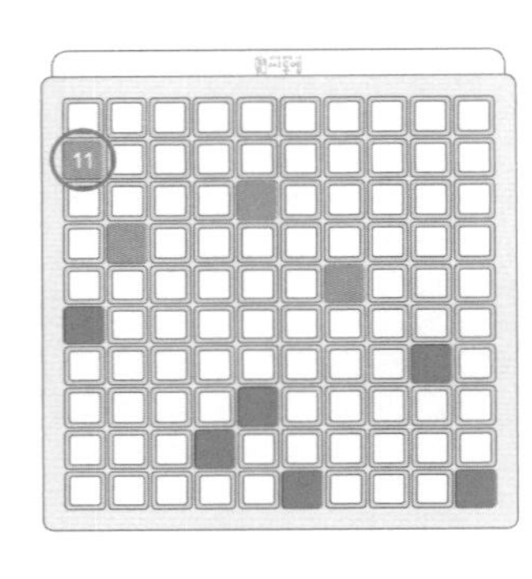

같이 해 볼까요

1 백판 보드에 **10~1000**의 수가 보이도록 판 카드를 넣고, 두 사람이 각자 수칩을 **5**개씩 고른 후 백판 보드에 놓고, 판 카드를 빼요.

2 순서를 정하고, 먼저 한 사람이 수칩 **1**개를 가리키며 수칩의 수에 **0**을 붙여 수를 말해요.

3 수칩을 뒤집어 수가 맞으면 수칩을 가져가고, 틀리면 수가 보이지 않게 다시 뒤집어 놓아요.

4 상대방도 수칩 **1**개를 가리키며 수를 말해요. 이때 상대방이 틀려서 뒤집어 놓은 수칩의 수는 바로 맞힐 수 없어요.

5 번갈아 가며 수를 맞히다가 수칩을 더 많이 가져간 사람이 이겨요.

준비물 백판 보드, 10-1000 판 카드, 연두색/하늘색/빨간색 수칩, 수백판 상자

천판 수 배열표의 일부에요. 빈칸에 알맞은 수를 써넣으세요.

110			
		230	
	320		340
	420		

	530	540	
		740	
820			850

			640
		730	
	820		
910		930	

670			
		790	
	880		900
	980		

활동 15 천판 뛰어 세기

천판에서 주사위를 굴려 나온 수만큼 뛰어 세어 봅시다.

1 백판 보드에 10~1000의 수가 보이도록 판 카드를 넣어요.

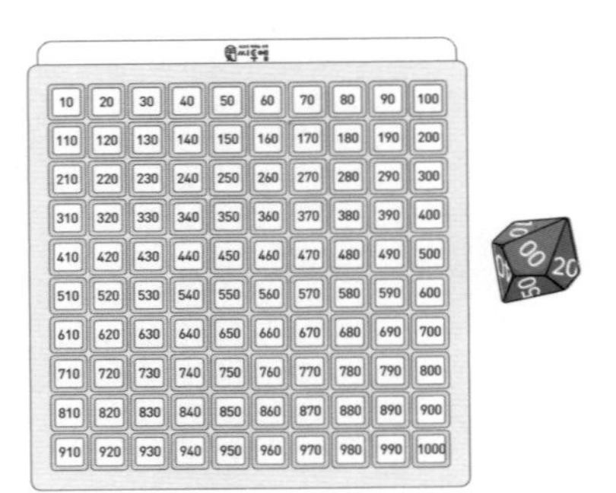

2 0부터 시작하여 십면체 주사위(00~90)를 굴려 나온 수만큼 뛰어 세어 색깔칩 10개를 놓아요.

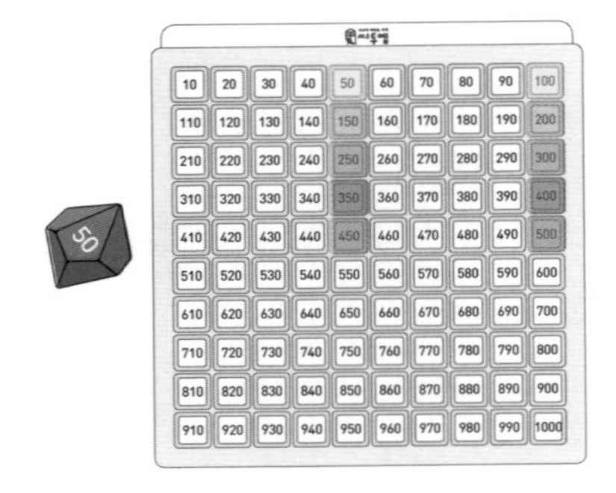

3 만약 주사위의 눈이 '00'이 나오면 '100'씩 뛰어 센 수를 찾아요. 같은 방법으로 여러 번 활동해 보아요.

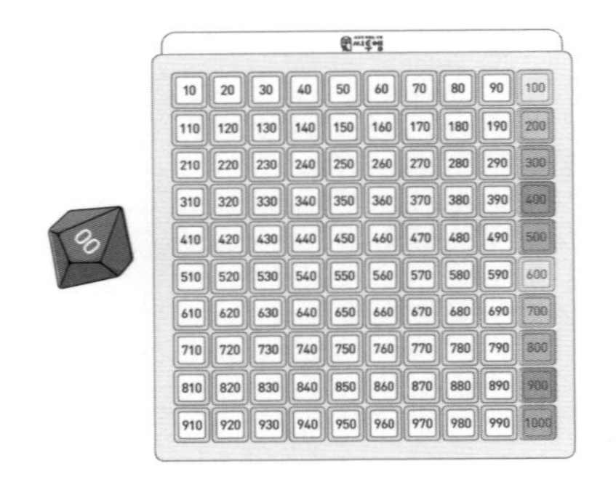

주사위를 굴려
나온 수가 '00'이므로
100씩 뛰어 센 수에
칩을 놓아 봐.

준비물 백판 보드, 10-1000 판 카드, 색깔칩, 십면체 주사위(00~90)

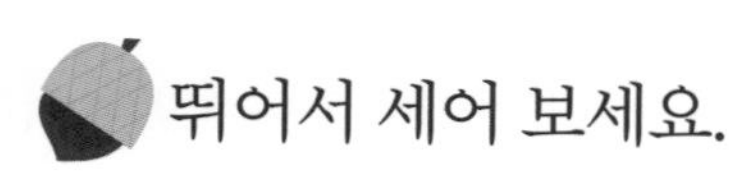

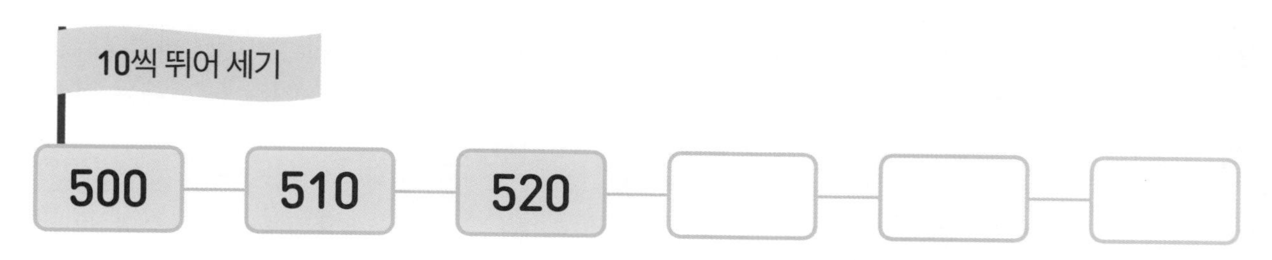

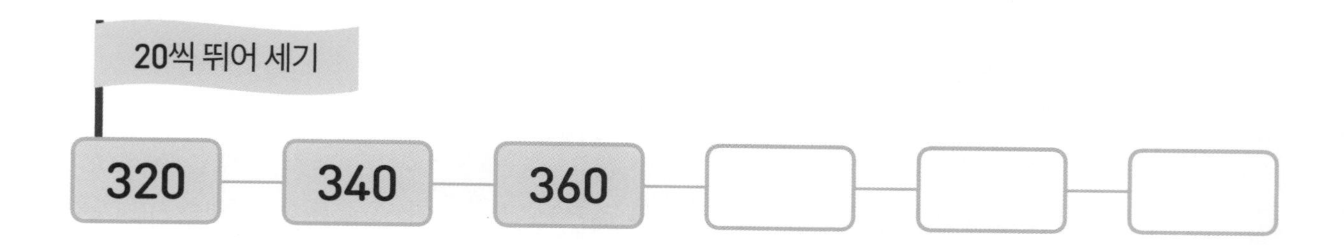

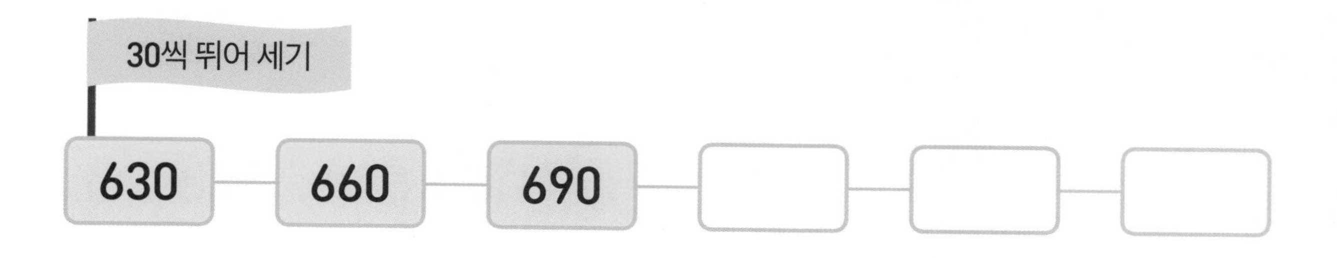

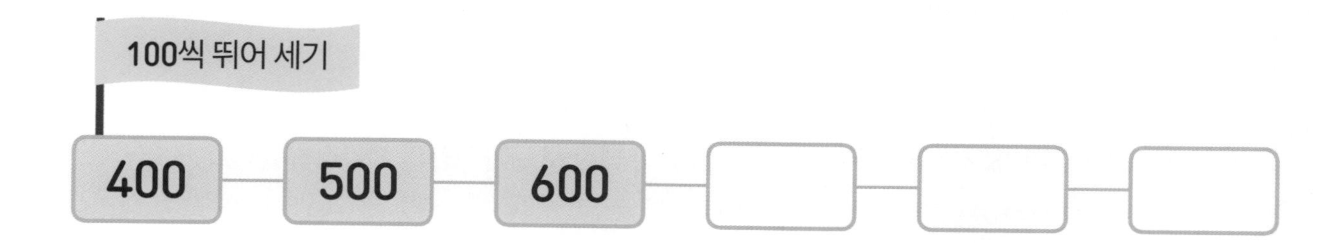

활동 16 뛰어 센 수

몇십씩 몇 번 뛰어 센 수를 찾아봅시다.

1 백판 보드에 10~1000의 수가 보이도록 판 카드를 넣고, 십면체 주사위 2개를 준비해요.

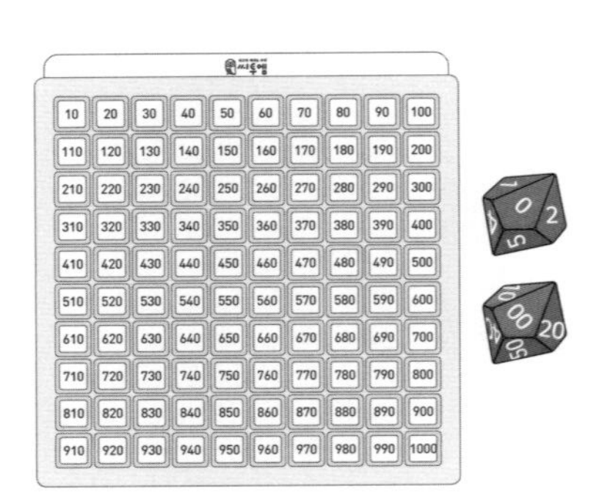

2 십면체 주사위(00~90)는 뛰어 세는 수를, 십면체 주사위(0~9)는 뛰어 세는 횟수를 나타내요.

3 0부터 시작하여 주사위 2개를 동시에 굴려 나온 조건에 맞는 뛰어 센 수를 찾아 색깔칩을 놓아요.

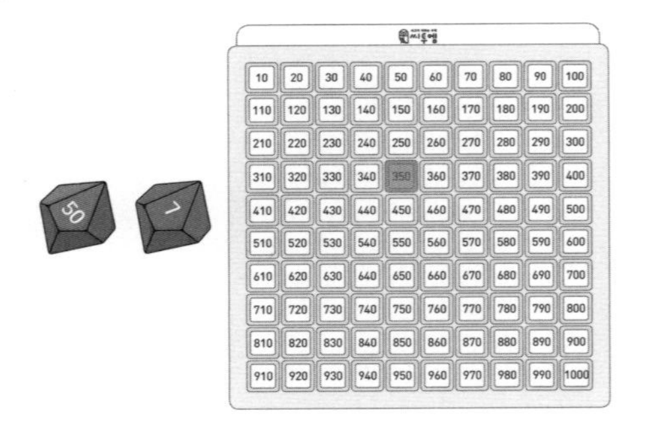

50씩 7번 뛰어 세면 50-100-150-200-250-300-350 이므로 350에 칩을 놓으면 돼.

같이 해 볼까요

1 백판 보드에 **10~1000**의 수가 보이도록 판 카드를 넣고, 두 사람이 각자 색깔칩을 **5**개씩 준비해요.
2 십면체 주사위 **2**개를 각자 **1**개씩 나누어 가지고 동시에 굴려요.
3 두 사람이 동시에 조건에 맞는 뛰어 센 수를 찾아 백판 보드에 자신의 색깔칩을 놓아요.
4 자신의 색깔칩 **5**개를 먼저 놓은 사람이 이겨요.

준비물 백판 보드, 10-1000 판 카드, 색깔칩,
십면체 주사위 2개(0~9/00~90)

보라색 주사위는 시작하는 수와 한 번에 뛰어 세는 수를, 파란색 주사위는 뛰어 세는 횟수를 나타내요. 주사위의 수만큼 뛰어 센 수를 찾아 색칠해 보세요.

10	20	30	40	50	60	70	80	90	100
110	120	130	140	150	160	170	180	190	200

110	120	130	140	150	160	170	180	190	200
210	220	230	240	250	260	270	280	290	300

110	120	130	140	150	160	170	180	190	200
210	220	230	240	250	260	270	280	290	300

활동 17 큰 수, 작은 수

가장 큰 수와 가장 작은 수를 알아봅시다.

1. 백판 보드에 10~1000의 수가 보이도록 판 카드를 넣고, 십면체 주사위 2개를 준비해요.

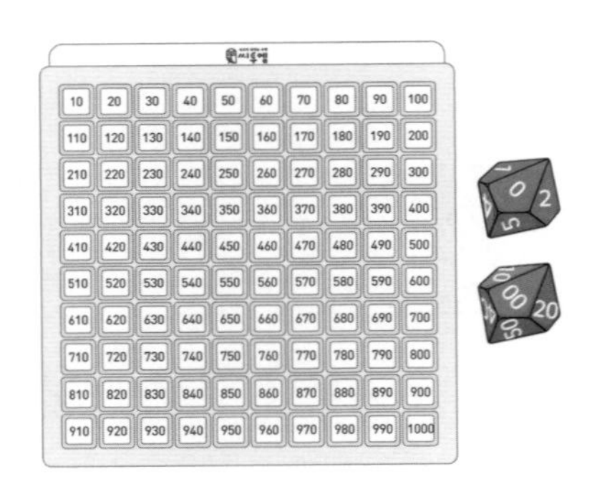

2. 십면체 주사위(0~9)는 백의 자리 수를, 십면체 주사위(00~90)는 몇십을 나타내요.

주사위를 굴려 나온 수가 5와 20이므로 520!

3. 주사위 2개를 동시에 굴려 나온 수를 찾아 천판 수 배열표에 놓아요.

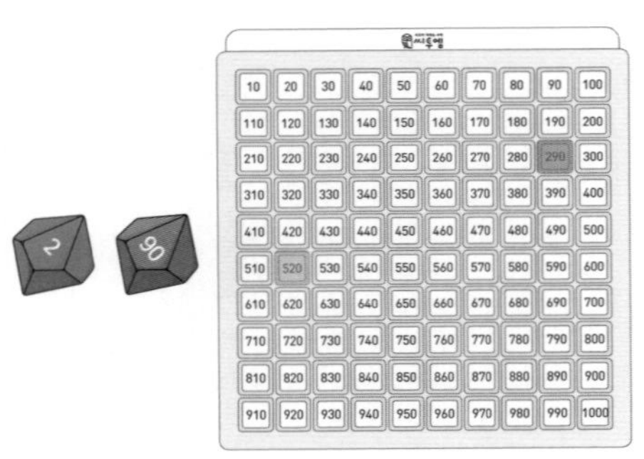

4. 같은 방법으로 4번 활동하고, 그중 가장 큰 수와 가장 작은 수를 말해요.

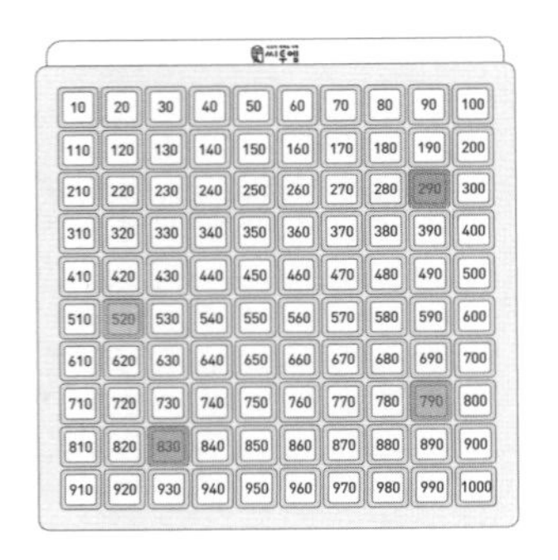

가장 큰 수는 830, 가장 작은 수는 290이야.

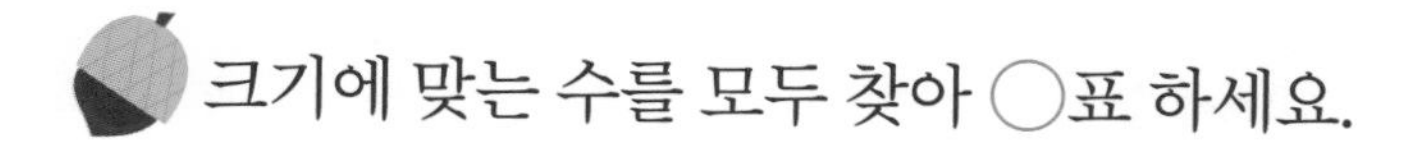
크기에 맞는 수를 모두 찾아 ○표 하세요.

100	$<$	120	90	310	280	350	$<$	300
250	$<$	240	290	470	510	430	$<$	450
700	$<$	820	690	790	950	580	$<$	900
550	$<$	500	780	520	610	700	$<$	750
420	$<$	390	580	450	410	650	$<$	620

활동 18 (두 자리 수) + (한 자리 수)

(두 자리 수) + (한 자리 수)를 알아봅시다.

1. 백판 보드에 1~100의 수가 보이도록 판 카드를 넣어요.

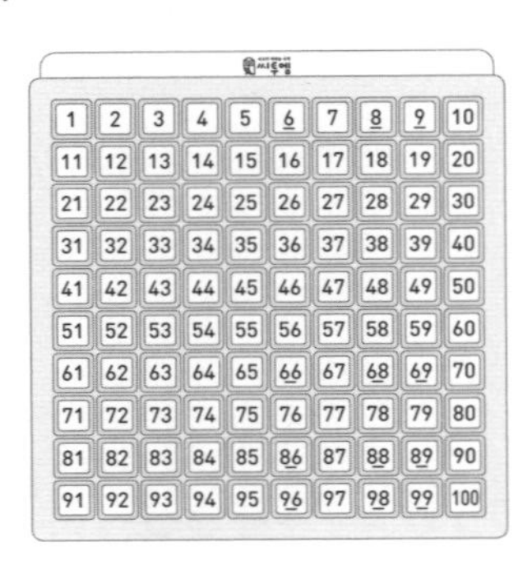

2. 하늘색 수칩 1개를 뽑고, 십면체 주사위(0~9)를 굴려요.

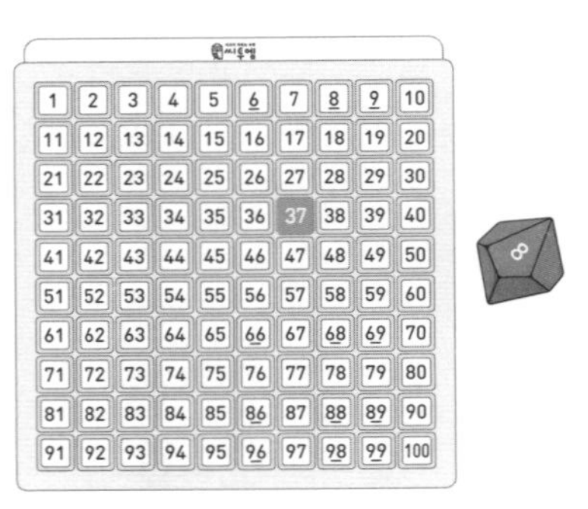

3. 백판 보드에서 수칩의 수부터 십면체 주사위(0~9)를 굴려 나온 수만큼 색깔칩을 이어서 놓아요. 마지막 색깔칩을 놓은 수가 (두 자리 수) + (한 자리 수)의 덧셈 결과에요.

4. 같은 방법으로 여러 번 덧셈해 보아요.

준비물 백판 보드, 1-100 판 카드, 하늘색 수칩, 색깔칩, 십면체 주사위(0~9)

 보기 와 같이 더하는 수만큼 색칠하여 덧셈하고, □ 안에 알맞은 수를 써넣으세요.

보기

21	22	23	24	25	26	27	28	29	30
31	32	33	34	35	36	37	38	39	40

$25 + 8 = $ 33

21	22	23	24	25	26	27	28	29	30
31	32	33	34	35	36	37	38	39	40

$29 + 5 = $ □

31	32	33	34	35	36	37	38	39	40
41	42	43	44	45	46	47	48	49	50

$35 + 7 = $ □

41	42	43	44	45	46	47	48	49	50
51	52	53	54	55	56	57	58	59	60

$48 + 6 = $ □

51	52	53	54	55	56	57	58	59	60
61	62	63	64	65	66	67	68	69	70

$57 + 4 = $ □

활동 19 (두 자리 수) - (한 자리 수)

(두 자리 수) - (한 자리 수)를 알아봅시다.

1. 백판 보드에 1~100까지의 수가 보이도록 판 카드를 넣어요.

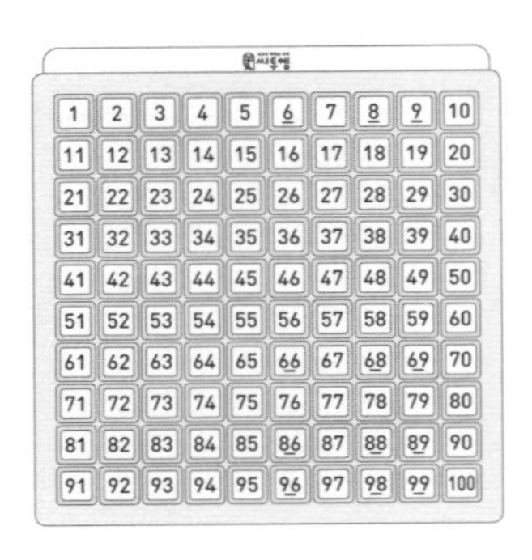

2. 하늘색 수칩 1개를 뽑고, 십면체 주사위(0~9)를 굴려요.

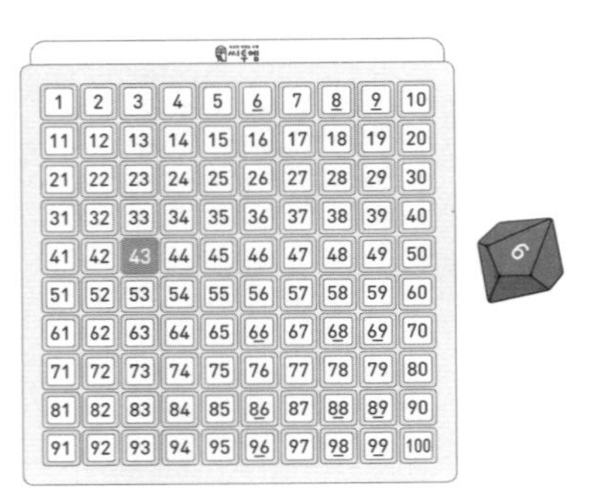

3. 백판 보드에서 수칩의 수부터 수의 순서를 거꾸로 하여 주사위 수만큼 색깔칩을 놓아요. 마지막 색깔칩을 놓은 수가 (두 자리 수) - (한 자리 수)의 뺄셈 결과에요.

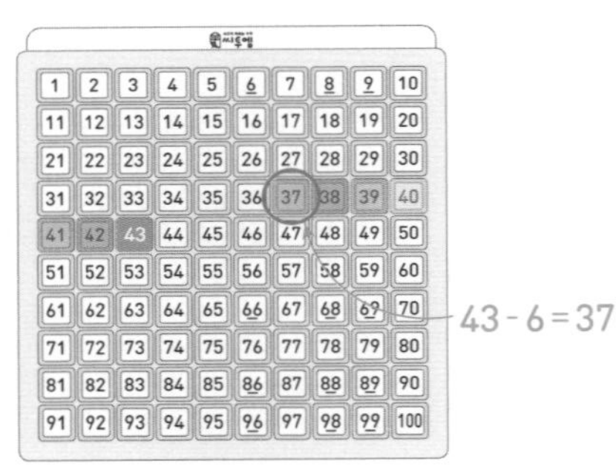

백판 보드에서 43부터 수의 순서를 거꾸로 하여 칩을 놓으면 37에 마지막 색깔칩을 놓아.

43 빼기 6은 마지막 수인 37이야.

4. 같은 방법으로 여러 번 뺄셈해 보아요.

준비물 백판 보드, 1-100 판 카드, 하늘색 수칩, 색깔칩, 십면체 주사위(0~9)

 보기 와 같이 빼는 수만큼 색칠하여 뺄셈하고, □ 안에 알맞은 수를 써넣으세요.

보기

21	22	23	24	25	26	27	28	29	30
31	32	33	34	35	36	37	38	39	40

$36-9=$ 27

21	22	23	24	25	26	27	28	29	30
31	32	33	34	35	36	37	38	39	40

$33-5=$ □

31	32	33	34	35	36	37	38	39	40
41	42	43	44	45	46	47	48	49	50

$41-4=$ □

41	42	43	44	45	46	47	48	49	50
51	52	53	54	55	56	57	58	59	60

$55-7=$ □

51	52	53	54	55	56	57	58	59	60
61	62	63	64	65	66	67	68	69	70

$62-6=$ □

활동 20 9씩 더하기 빼기

주어진 수부터 9씩 더하거나 9씩 빼기 해 봅시다.

1. 백판 보드에 1~100의 수가 보이도록 판 카드를 넣어요.

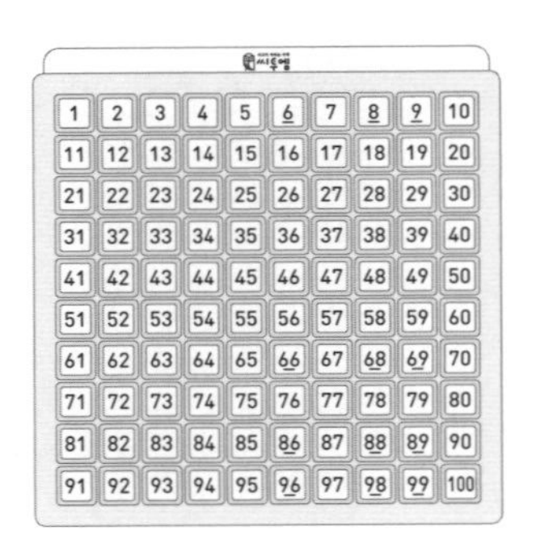

2. 1에서 10까지의 수 사이에 색깔칩을 1개 놓아요.

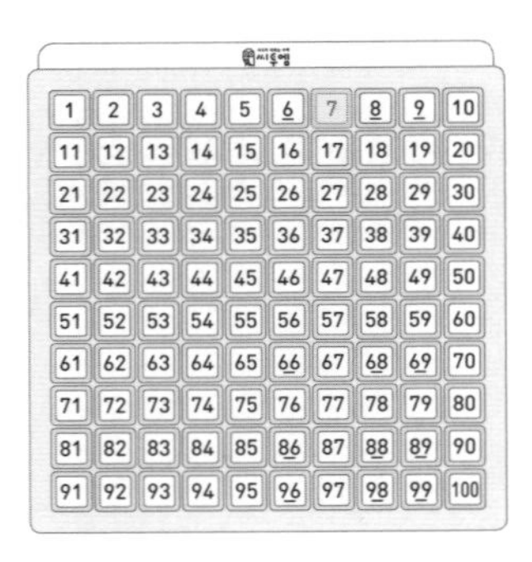

3. 색깔칩을 놓은 수부터 9씩 더하면서 색깔칩을 놓아요.

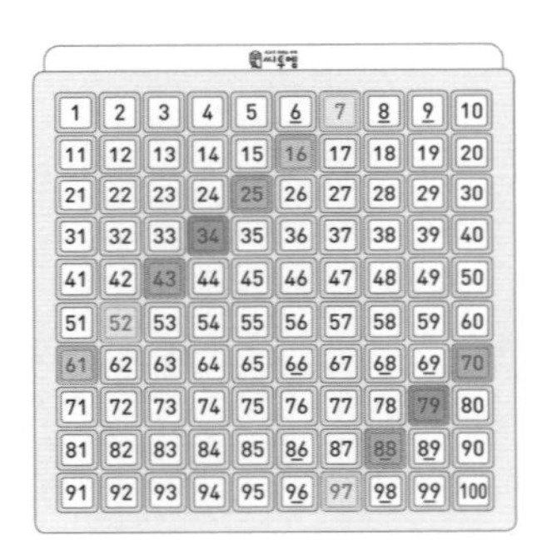

4. 이번에는 91부터 100까지의 수 사이에 색깔칩을 놓고 9씩 빼면서 색깔칩을 놓아요. 수를 바꾸어 가며 여러 번 활동해 보아요.

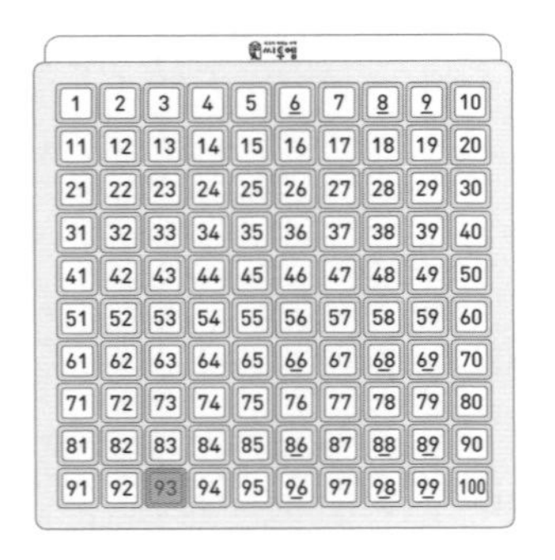

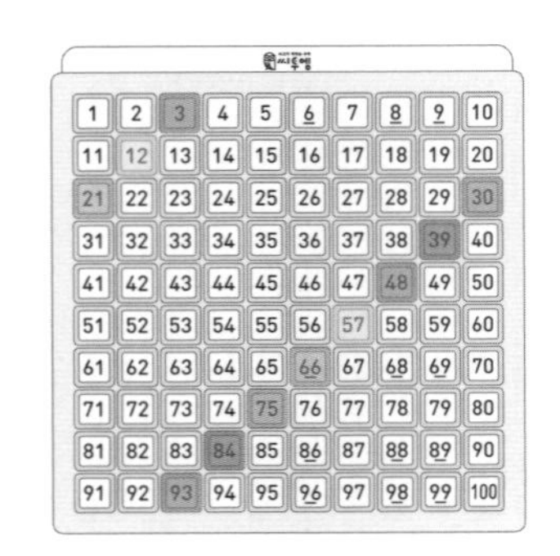

준비물 백판 보드, 1-100 판 카드, 색깔칩

★의 수에 9를 더한 수에 ◯표, 9를 뺀 수에 □표를 하고 선으로 이어 보세요.

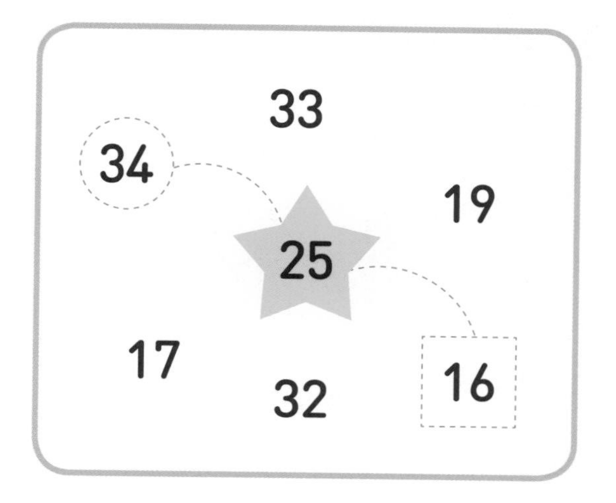

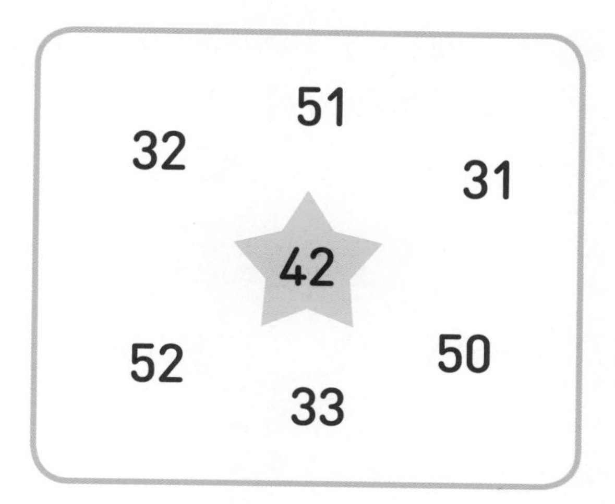

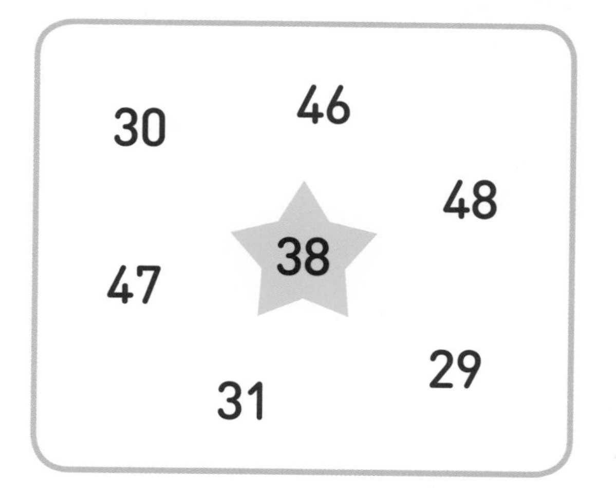

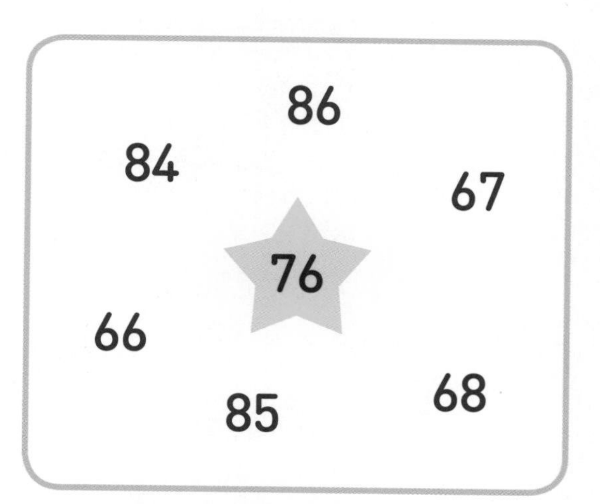

활동 21

(두 자리 수) + (두 자리 수)

(두 자리 수) + (두 자리 수)를 알아봅시다.

1 백판 보드에 1~100의 수가 보이도록 판 카드를 넣어요.

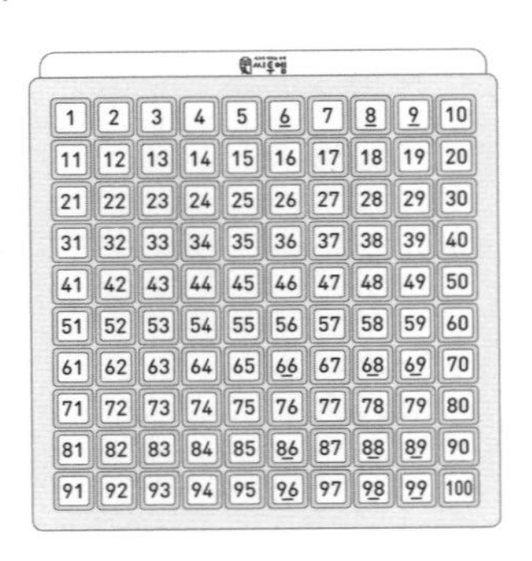

2 수가 보이지 않게 하늘색 수칩을 놓고 2개를 골라요.

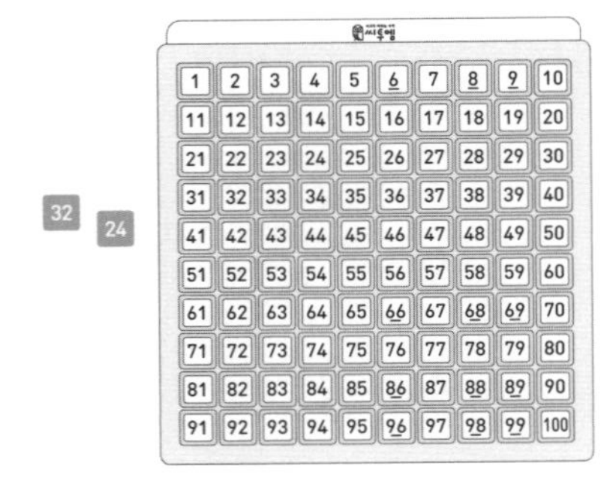

3 백판 보드에 하늘색 수칩 중 1개와 같은 수를 찾아 색깔칩을 놓고, 다른 하늘색 수칩의 수만큼 더한 수를 찾아 색깔칩을 놓아요.

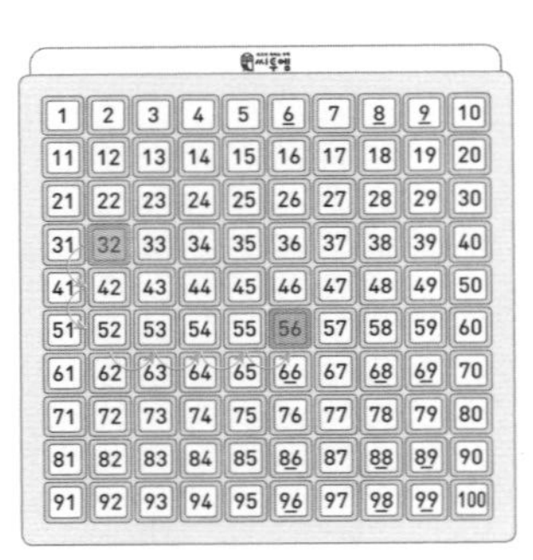

24를 더하면 아래로 2칸,
오른쪽으로 4칸 가면 돼.
32 더하기 24는 56이야.

4 같은 방법으로 수를 바꾸어 가며 여러 번 활동해 보아요.

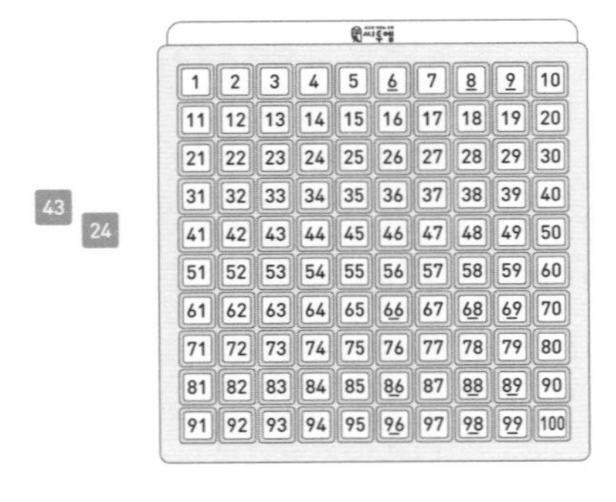

준비물 백판 보드, 1-100 판 카드, 하늘색 수칩, 색깔칩

보기 와 같이 더하는 수의 10개씩 묶음은 ○표, 낱개는 색칠하여 덧셈하고, □ 안에 알맞은 수를 써넣으세요.

보기

21	22	23	24	25	26	27	28	29	30
31	32	33	34	35	36	37	38	39	40
41	42	43	44	45	46	47	48	49	50
51	52	53	54	55	56	57	58	59	60

27 + 29 = 56

11	12	13	14	15	16	17	18	19	20
21	22	23	24	25	26	27	28	29	30
31	32	33	34	35	36	37	38	39	40

19 + 16 = □

31	32	33	34	35	36	37	38	39	40
41	42	43	44	45	46	47	48	49	50
51	52	53	54	55	56	57	58	59	60
61	62	63	64	65	66	67	68	69	70

38 + 23 = □

41	42	43	44	45	46	47	48	49	50
51	52	53	54	55	56	57	58	59	60
61	62	63	64	65	66	67	68	69	70
71	72	73	74	75	76	77	78	79	80

46 + 27 = □

활동 22 (두 자리 수) - (두 자리 수)

(두 자리 수) - (두 자리 수)를 알아봅시다.

1. 백판 보드에 1~100까지의 수가 보이도록 판 카드를 넣어요.

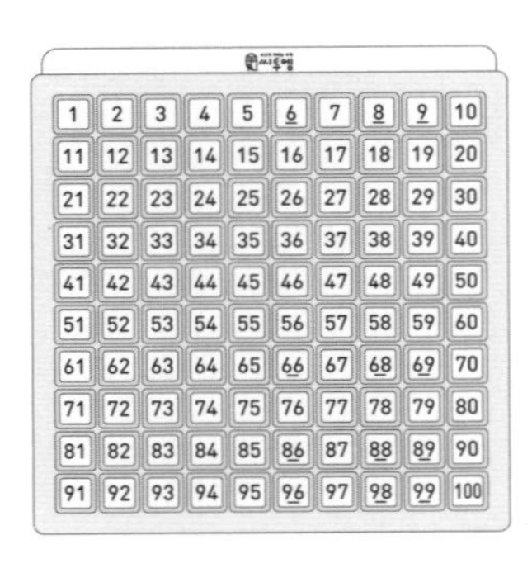

2. 하늘색 수칩과 빨간색 수칩에서 각각 1개씩 수칩을 골라요.

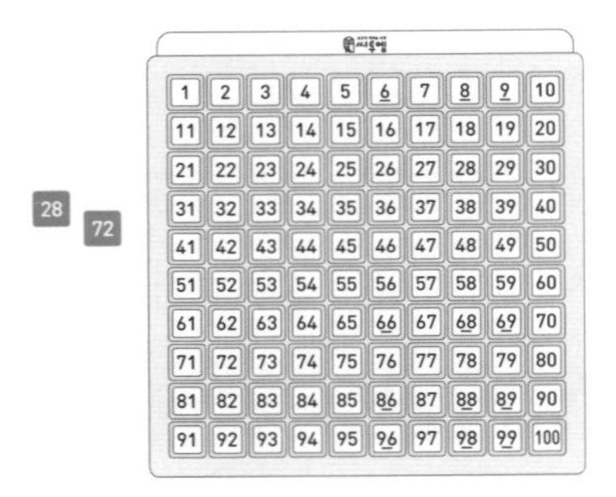

3. 백판 보드에 빨간색 수칩의 수와 같은 수를 찾아 색깔칩을 놓고, 하늘색 수칩의 수만큼 뺀 수를 찾아 색깔칩을 놓아요.

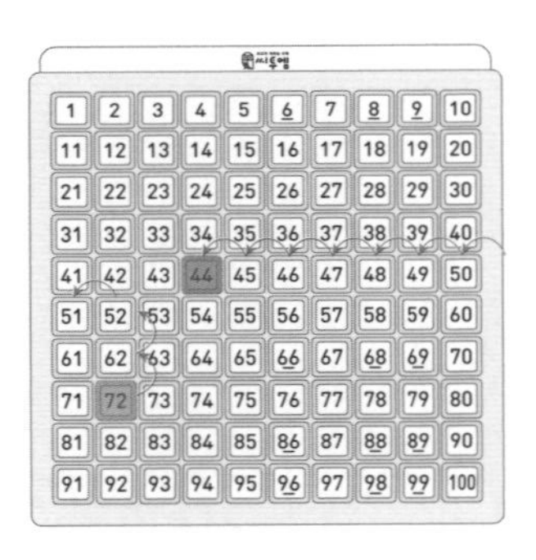

4. 같은 방법으로 수를 바꾸어 가며 여러 번 활동해 보아요.

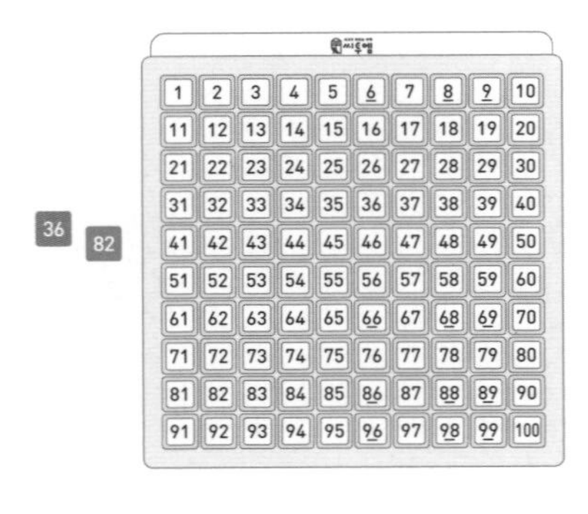

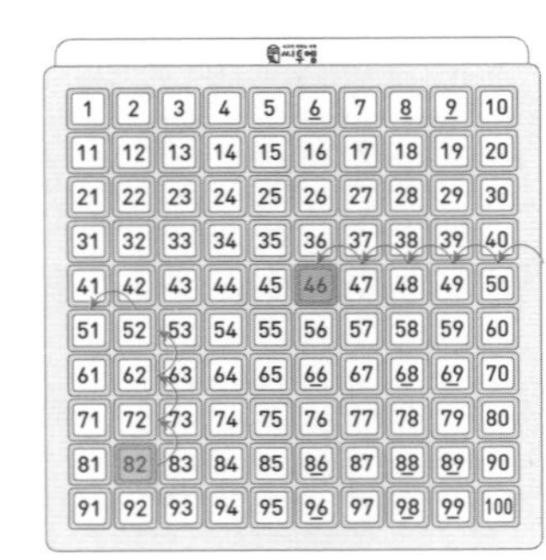

준비물 백판 보드, 1-100 판 카드, 하늘색/빨간색 수칩, 색깔칩

보기 와 같이 빼는 수의 10개씩 묶음은 ◯표, 낱개는 색칠하여 뺄셈하고, □ 안에 알맞은 수를 써넣으세요.

보기

51	52	53	54	55	56	57	58	59	60
61	62	63	64	65	66	67	68	69	70
71	72	73	74	75	76	77	58	59	80
81	82	83	84	85	86	87	88	89	90

$86 - 27 =$ 59

31	32	33	34	35	36	37	38	39	40
41	42	43	44	45	46	47	48	49	50
51	52	53	54	55	56	57	58	59	60

$54 - 15 =$ □

51	52	53	54	55	56	57	58	59	60
61	62	63	64	65	66	67	68	69	70
71	72	73	74	75	76	77	58	59	80
81	82	83	84	85	86	87	88	89	90

$82 - 24 =$ □

61	62	63	64	65	66	67	68	69	70
71	72	73	74	75	76	77	58	59	80
81	82	83	84	85	86	87	88	89	90
91	92	93	94	95	96	97	98	99	100

$91 - 26 =$ □

확인학습1

1 □ 안에 알맞은 수를 써넣으세요.

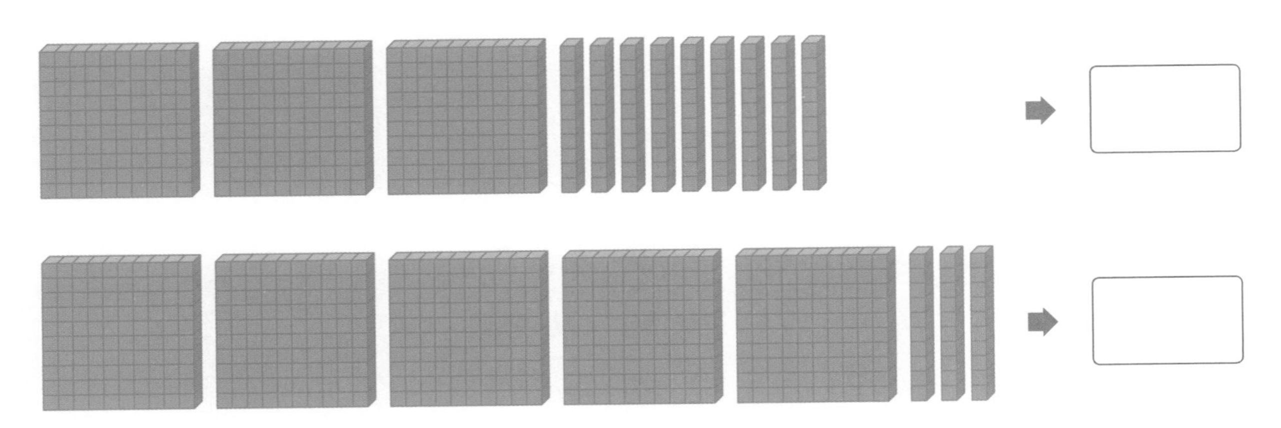

2 □ 안에 알맞은 수나 말을 써넣으세요.

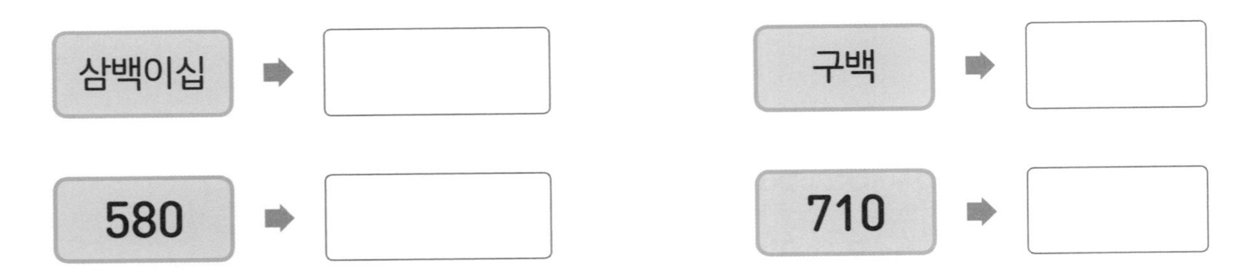

3 일정하게 뛰어 센 규칙을 찾아 빈 곳에 알맞은 수를 써넣으세요.

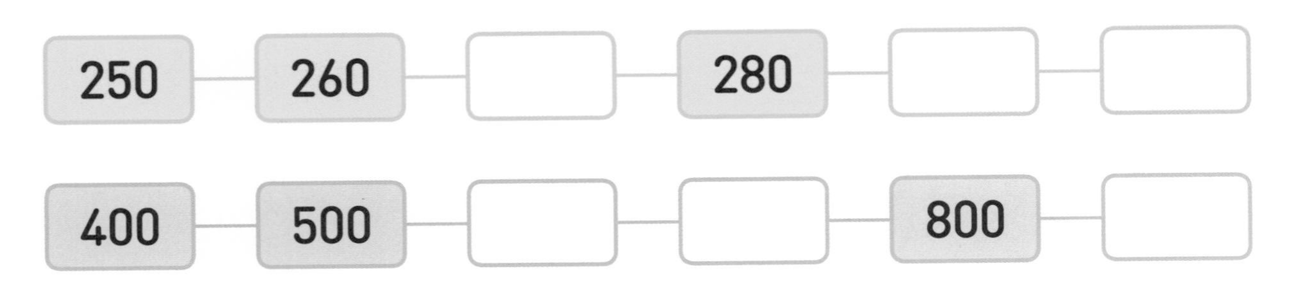

4 수의 크기를 비교하여 ○ 안에 > 또는 <를 알맞게 써넣으세요.

5 빈칸에 들어갈 수는 선으로 연결된 두 수의 합이에요. 빈칸에 알맞은 수를 써넣으세요.

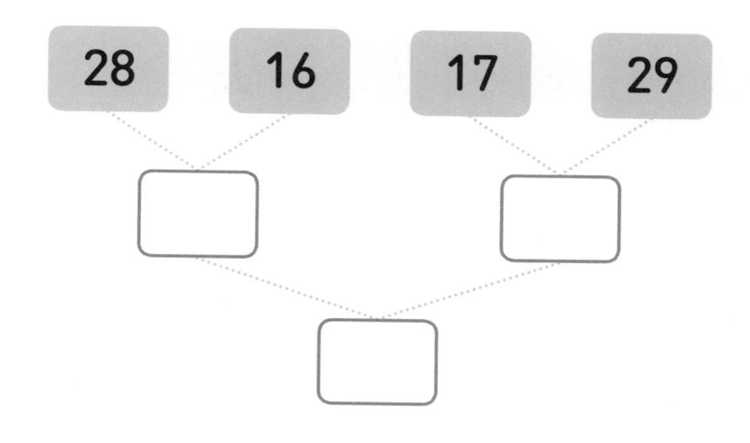

6 □ 안에 알맞은 수를 써넣으세요.

확인학습2

1 □ 안에 알맞은 수를 써넣으세요.

2 천판 배열표의 일부에요. 빈칸에 알맞은 수를 써넣으세요.

50		70
150		
	260	

470		
	580	
670		690

3 규칙을 찾아 빈칸에 알맞은 수를 써넣으세요.

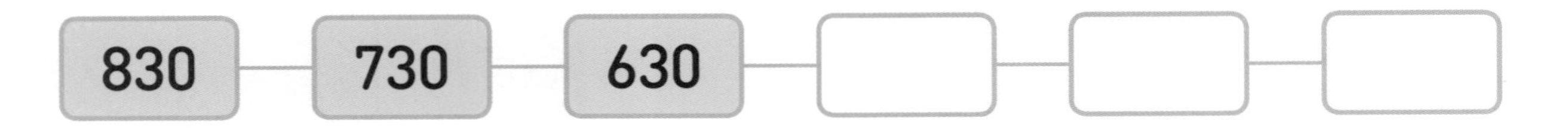

4 □ 안에 들어갈 수 있는 수를 모두 찾아 ◯표 하세요.

460 > □60	4	3	5	2	6
770 < 7□0	8	6	9	7	5

5 같은 것끼리 이어 보세요.

24 + 18	90 − 39
39 + 12	93 − 47
17 + 29	60 − 18

6 동물원에 있는 코끼리의 나이는 63살, 기린의 나이는 15살이에요. 코끼리의 나이는 기린의 나이보다 몇 살 더 많을까요?

□살

확인학습3

1 □ 안에 알맞은 수를 써넣으세요.

963에서 백의 자리 숫자는 □ 이고, □ 을/를 나타냅니다.

십의 자리 숫자는 □ 이고, □ 을/를 나타냅니다.

일의 자리 숫자는 □ 이고, □ 을/를 나타냅니다.

2 동전 5개 중 3개를 사용하여 나타낼 수 있는 세 자리 수에 모두 ◯표 하세요.

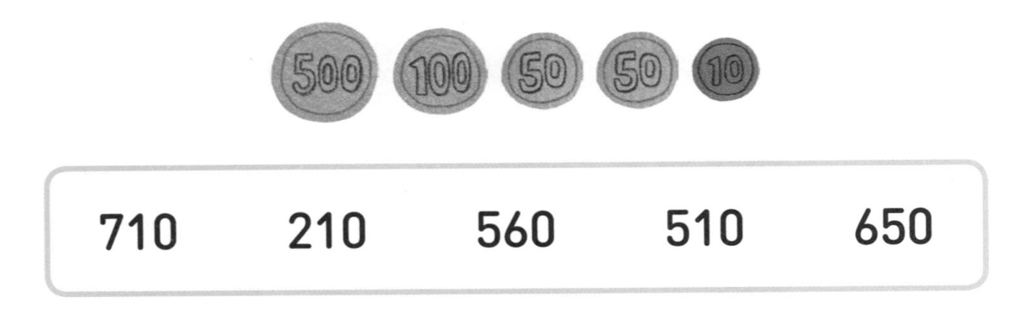

3 천판 배열표의 일부에요. 빈칸에 알맞은 수를 써넣으세요.

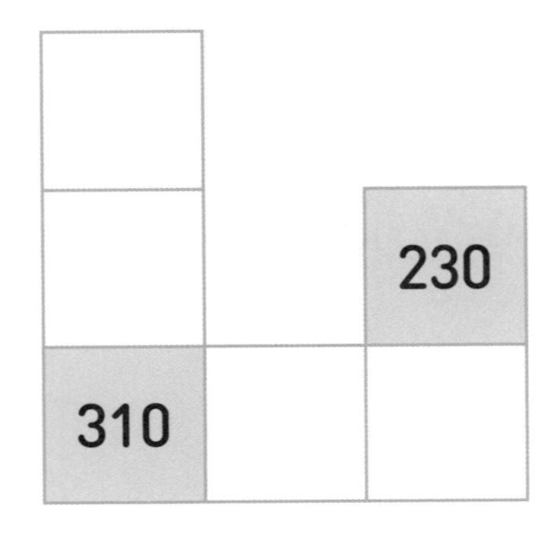

	690	
		900

4 1부터 9까지의 수 중에서 □ 안에 들어갈 수 있는 수를 모두 찾아 써 보세요.

$\square 70 > 680$

$640 > 6\square 0$

5 □ 안에 들어갈 수 있는 수를 모두 찾아 ○표 하세요.

$29 + \square > 46$

15 18 16 19

$72 - \square > 55$

18 17 15 16

6 어떤 수에 14를 더해야 할 것을 잘못하여 뺐더니 46이 되었어요. 바르게 계산한 값을 구해 보세요.

정답과
해설

정답과 해설

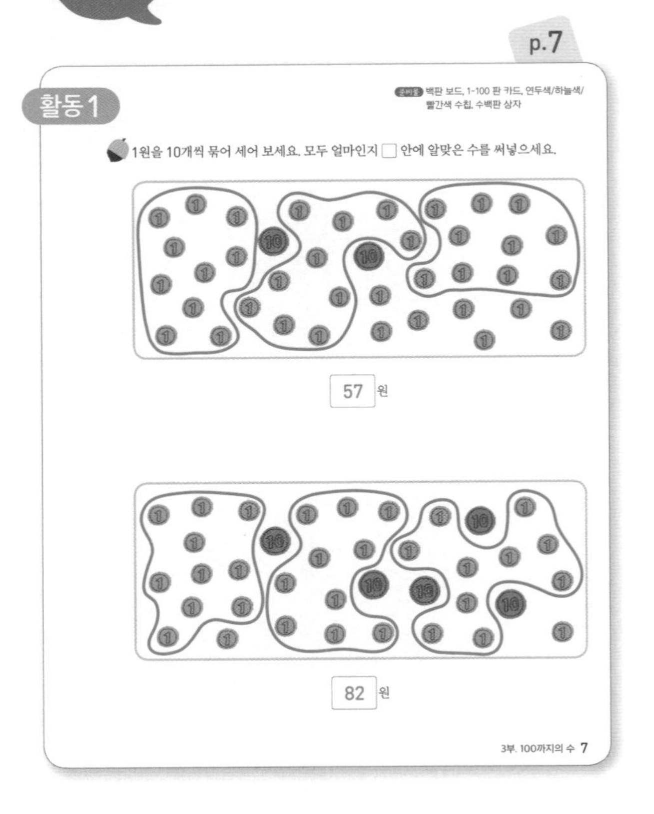

p.7

활동 1

준비물 백판 보드, 1-100 판 카드, 연두색/하늘색/빨간색 수칩, 수백판 상자

1원을 10개씩 묶어 세어 보세요. 모두 얼마인지 □ 안에 알맞은 수를 써넣으세요.

57 원

82 원

3부. 100까지의 수 7

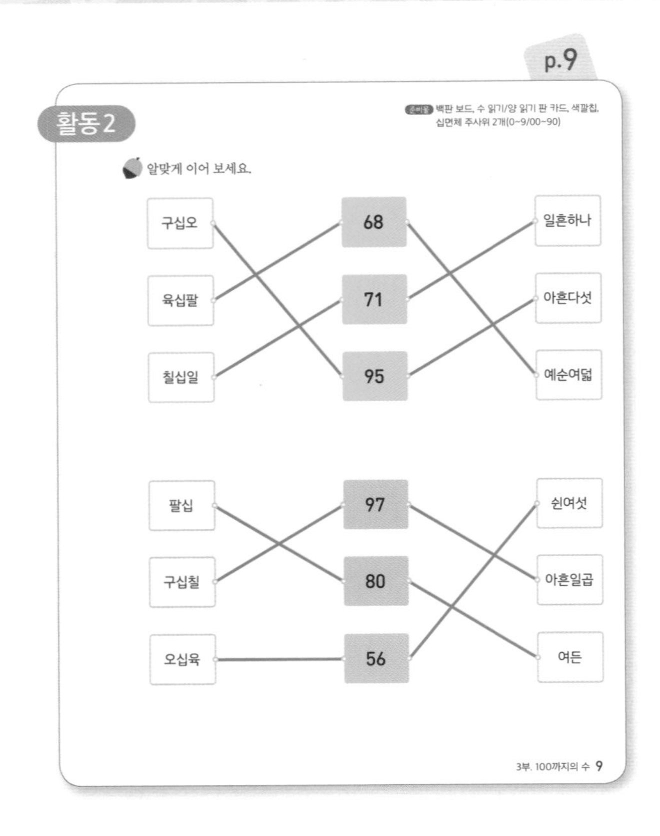

p.9

활동 2

준비물 백판 보드, 수 읽기/양 읽기 판 카드, 색깔칩, 십면체 주사위 2개(0~9/00~90)

알맞게 이어 보세요.

- 구십오 — 95 — 아흔다섯
- 육십팔 — 68 — 예순여덟
- 칠십일 — 71 — 일흔하나
- 팔십 — 80 — 여든
- 구십칠 — 97 — 아흔일곱
- 오십육 — 56 — 쉰여섯

3부. 100까지의 수 9

p.11

활동 3

준비물 백판 보드, 하늘색/빨간색 수칩, 수백판 상자

순서에 맞게 빈칸에 알맞은 수를 써넣으세요.

51	74	73	72	71	70	69
52	75	90	89	88	87	68
53	76	91	98	97	86	67
54	77	92	99	96	85	66
55	78	93	94	95	84	65
56	79	80	81	82	83	64
57	58	59	60	61	62	63

3부. 100까지의 수 11

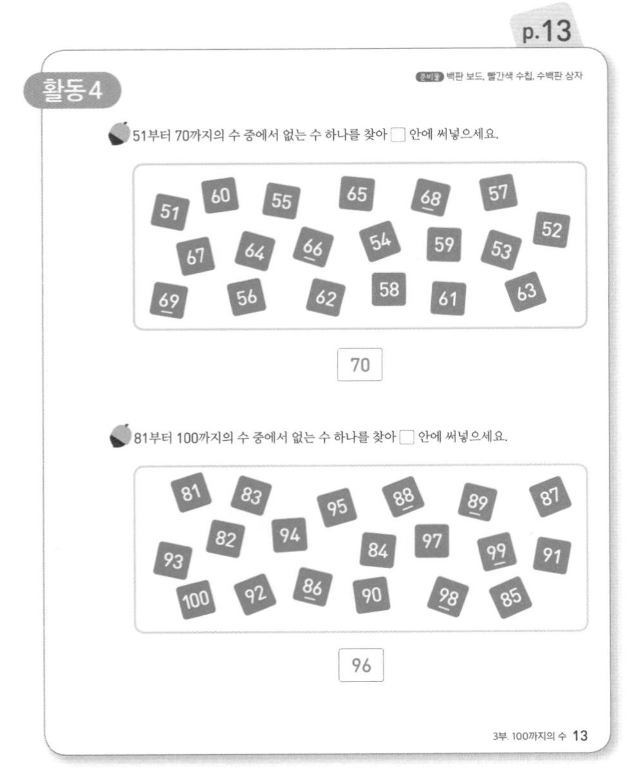

p.13

활동 4

준비물 백판 보드, 빨간색 수칩, 수백판 상자

51부터 70까지의 수 중에서 없는 수 하나를 찾아 □ 안에 써넣으세요.

70

81부터 100까지의 수 중에서 없는 수 하나를 찾아 □ 안에 써넣으세요.

96

3부. 100까지의 수 13

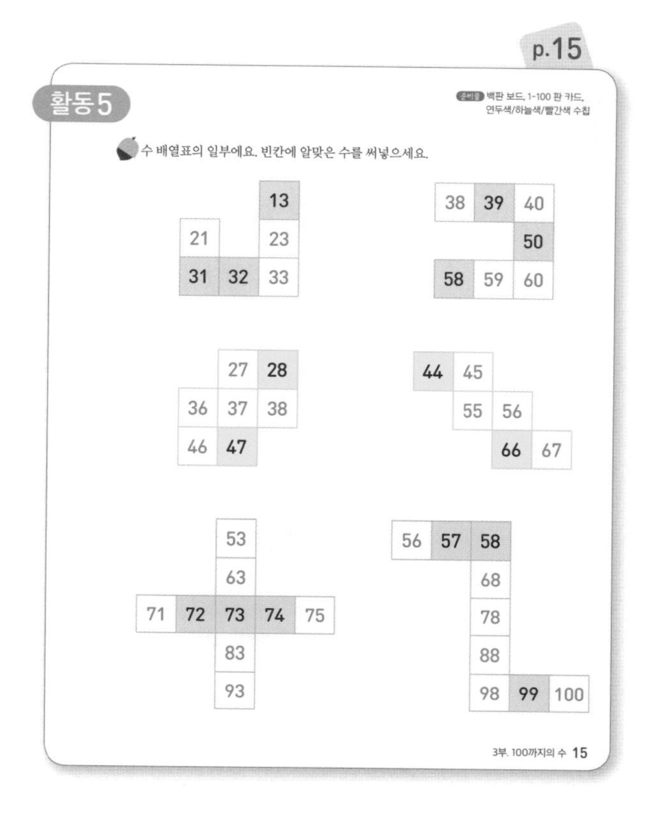

p.15

활동5

준비물 백판 보드, 1-100 판 카드, 연두색/하늘색/빨간색 수칩

수 배열표의 일부예요. 빈칸에 알맞은 수를 써넣으세요.

3부. 100까지의 수 15

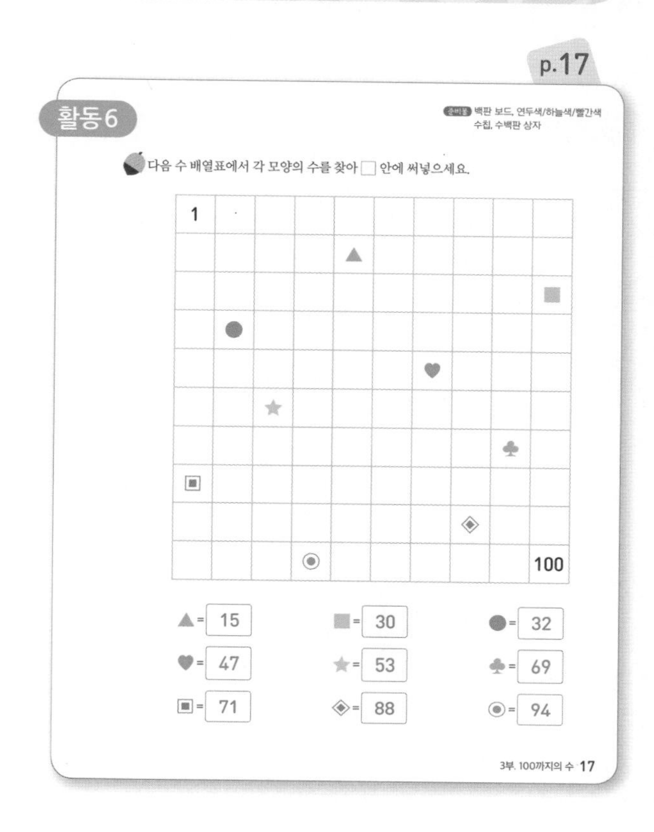

p.17

활동6

준비물 백판 보드, 연두색/하늘색/빨간색 수칩, 수백판 상자

다음 수 배열표에서 각 모양의 수를 찾아 □ 안에 써넣으세요.

3부. 100까지의 수 17

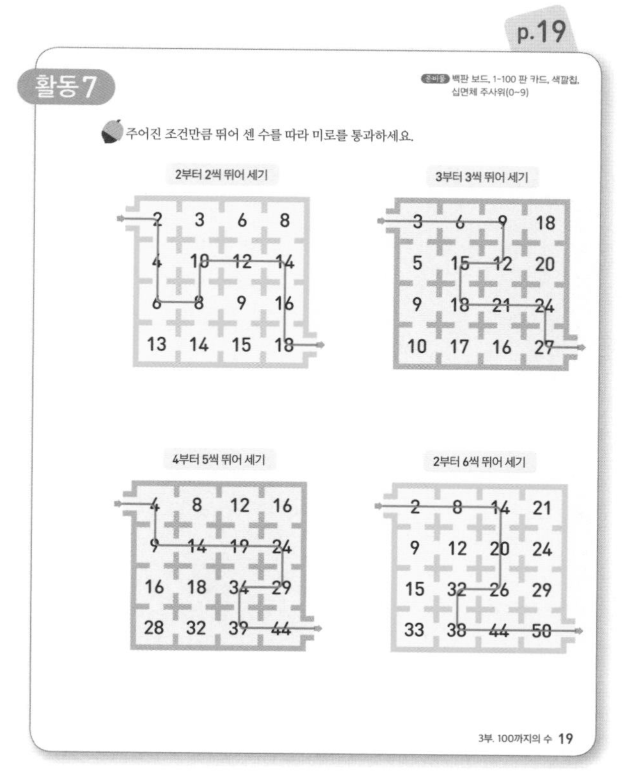

p.19

활동7

준비물 백판 보드, 1-100 판 카드, 색깔칩, 십면체 주사위(0~9)

주어진 조건만큼 뛰어 센 수를 따라 미로를 통과하세요.

3부. 100까지의 수 19

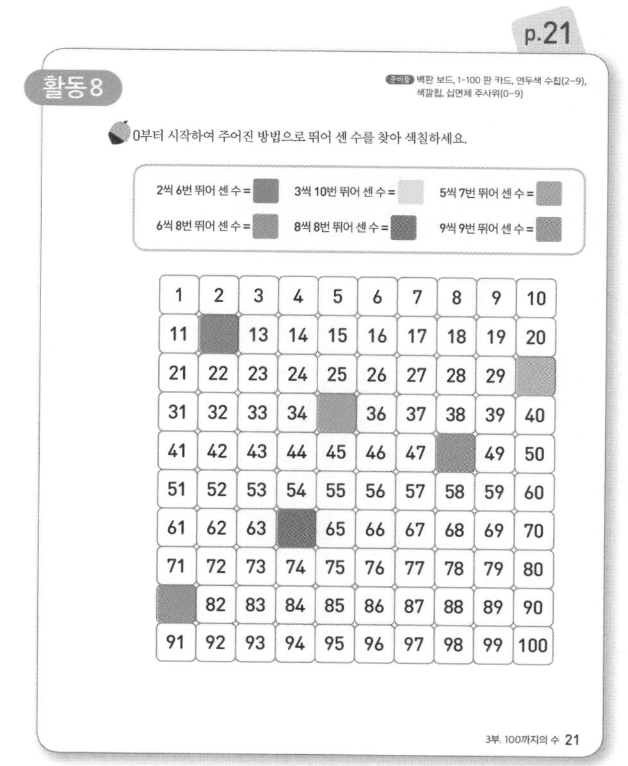

p.21

활동8

준비물 백판 보드, 1-100 판 카드, 연두색 수칩(2~9), 색깔칩, 십면체 주사위(0~9)

0부터 시작하여 주어진 방법으로 뛰어 센 수를 찾아 색칠하세요.

2씩 6번 뛰어 센 수 = ■ 3씩 10번 뛰어 센 수 = ■ 5씩 7번 뛰어 센 수 = ■

6씩 8번 뛰어 센 수 = ■ 8씩 8번 뛰어 센 수 = ■ 9씩 9번 뛰어 센 수 = ■

1	2	3	4	5	6	7	8	9	10
11		13	14	15	16	17	18	19	20
21	22	23	24	25	26	27	28	29	
31	32	33	34		36	37	38	39	40
41	42	43	44	45	46	47		49	50
51	52	53	54	55	56	57	58	59	60
61	62	63		65	66	67	68	69	70
71	72	73	74	75	76	77	78	79	80
	82	83	84	85	86	87	88	89	90
91	92	93	94	95	96	97	98	99	100

3부. 100까지의 수 21

정답과 해설

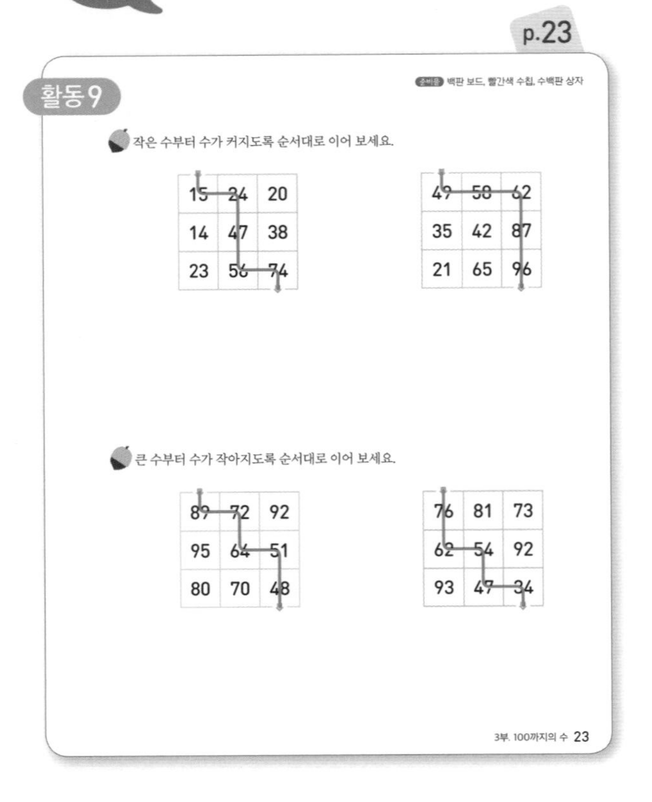

p.23

준비물 백판 보드, 빨간색 수칩, 수백판 상자

활동 9

작은 수부터 수가 커지도록 순서대로 이어 보세요.

15	24	20
14	47	38
23	56	74

49	58	62
35	42	87
21	65	96

큰 수부터 수가 작아지도록 순서대로 이어 보세요.

89	72	92
95	64	51
80	70	48

76	81	73
62	54	92
93	47	34

3부. 100까지의 수 23

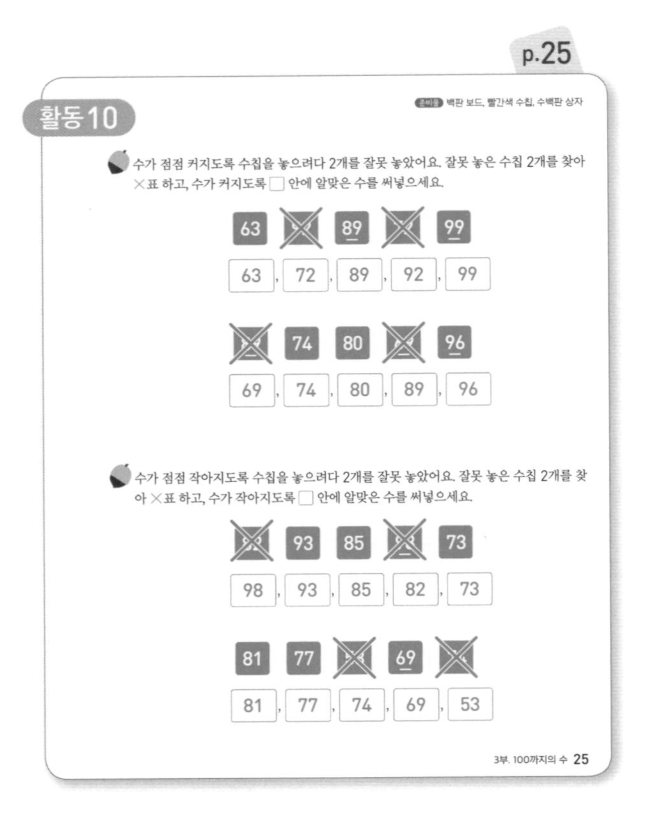

p.25

준비물 백판 보드, 빨간색 수칩, 수백판 상자

활동 10

수가 점점 커지도록 수칩을 놓으려다 2개를 잘못 놓았어요. 잘못 놓은 수칩 2개를 찾아 ×표 하고, 수가 커지도록 □ 안에 알맞은 수를 써넣으세요.

63, ×, 89, ×, 99

63, 72, 89, 92, 99

×, 74, 80, ×, 96

69, 74, 80, 89, 96

수가 점점 작아지도록 수칩을 놓으려다 2개를 잘못 놓았어요. 잘못 놓은 수칩 2개를 찾아 ×표 하고, 수가 작아지도록 □ 안에 알맞은 수를 써넣으세요.

×, 93, 85, ×, 73

98, 93, 85, 82, 73

81, 77, ×, 69, ×

81, 77, 74, 69, 53

3부. 100까지의 수 25

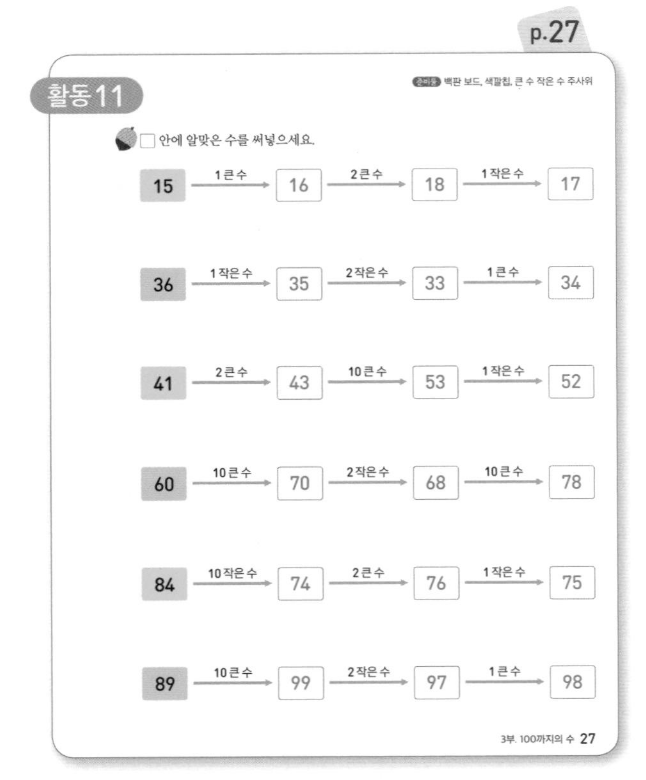

p.27

준비물 백판 보드, 색깔칩, 큰 수 작은 수 주사위

활동 11

□ 안에 알맞은 수를 써넣으세요.

15 —1 큰 수→ 16 —2 큰 수→ 18 —1 작은 수→ 17

36 —1 작은 수→ 35 —2 작은 수→ 33 —1 큰 수→ 34

41 —2 큰 수→ 43 —10 큰 수→ 53 —1 작은 수→ 52

60 —10 큰 수→ 70 —2 작은 수→ 68 —10 큰 수→ 78

84 —10 작은 수→ 74 —2 큰 수→ 76 —1 작은 수→ 75

89 —10 큰 수→ 99 —2 작은 수→ 97 —1 큰 수→ 98

3부. 100까지의 수 27

p.28 ~ p.29

확인학습1

1 알맞게 이어 보세요.

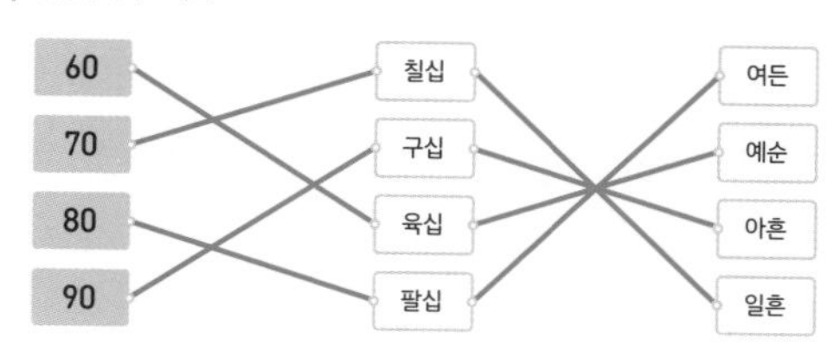

2 도넛을 다음과 같은 상자에 담으려고 해요. 도넛을 모두 담으려면 상자는 몇 개가 필요한지 □ 안에 알맞은 수를 써넣으세요.

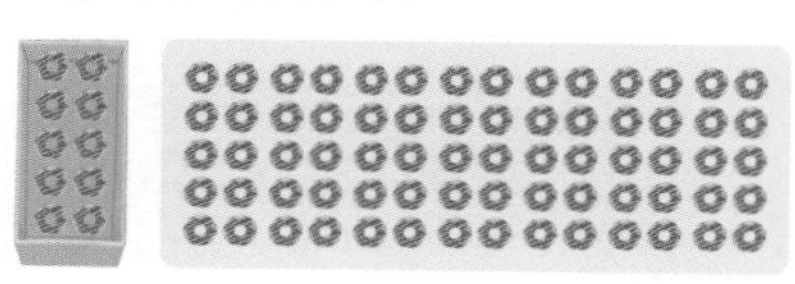

7 개

3 빈칸에 알맞은 수를 써넣으세요.

4 뛰어 센 규칙을 찾아 빈칸에 알맞은 수를 써넣으세요.

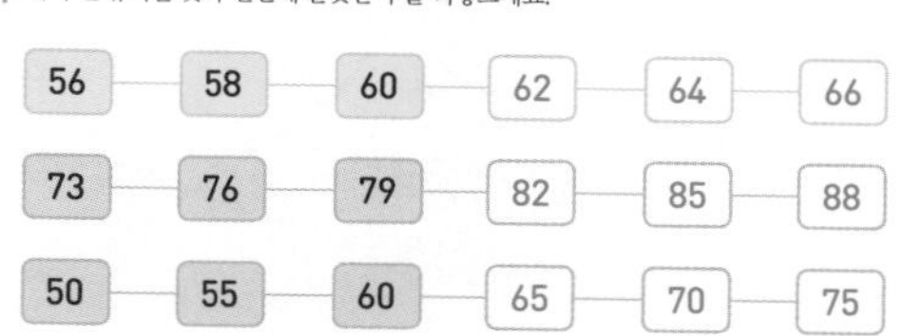

5 세 수 중 가장 큰 수에 ○표, 가장 작은 수에 △표 하세요.

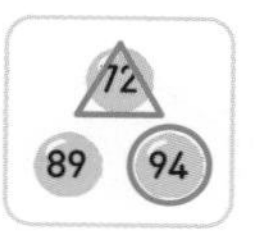

6 아현이는 구슬을 79개, 인성이는 81개 가졌어요. 세람이는 아현이보다 1개 더 많이 가졌어요. 구슬을 가장 많이 가진 순서대로 이름을 써 보세요.

p.30 ~ p.31

확인학습2

1 알맞게 이어 보세요.

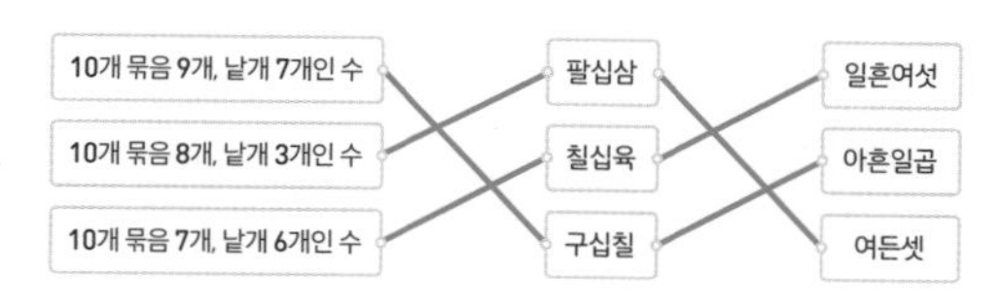

2 10개씩 묶어 사탕이 모두 몇 개인지 세어 보세요.

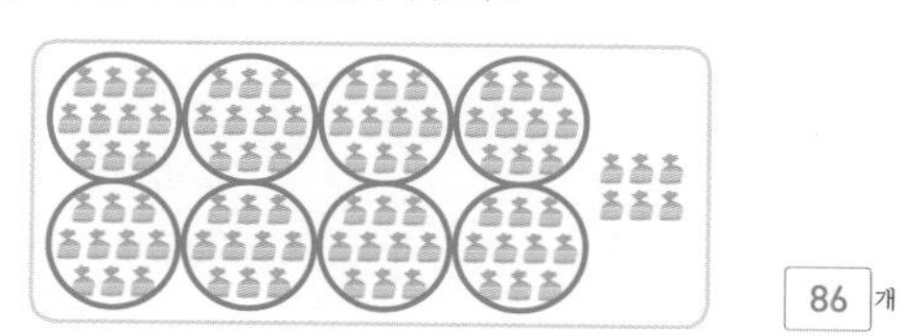

86 개

3 빈칸에 알맞은 수를 써넣으세요.

4 주어진 수에서 시작하여 몇 번 뛰어 센 수는 얼마인지 □ 안에 알맞은 수를 써넣으세요.

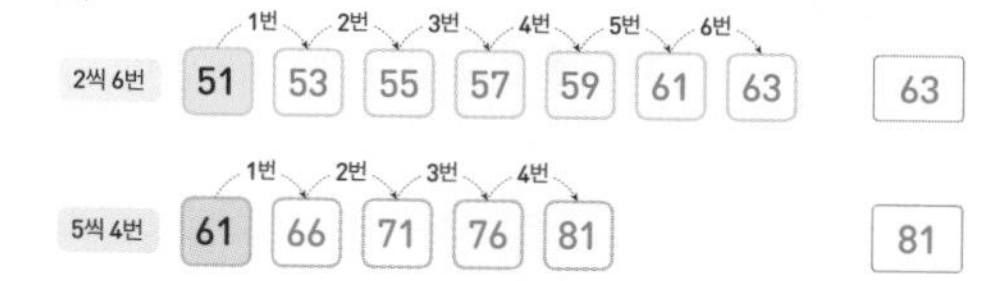

5 수가 점점 작아지도록 구슬을 놓으려다 2개를 잘못 놓았어요. 잘못 놓은 구슬 2개를 찾아 ×표 하세요.

6 수 배열표의 일부에요. 빈칸에 알맞은 수를 써넣으세요.

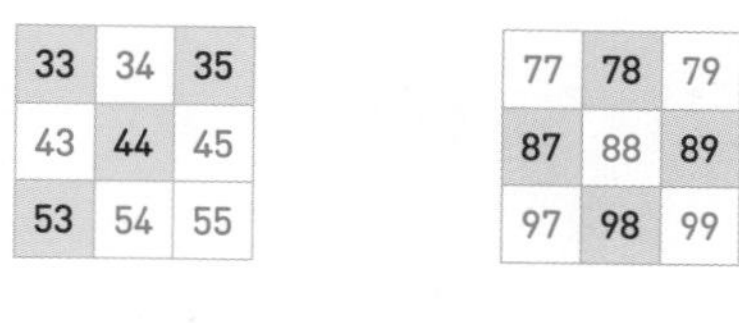

33	34	35
43	44	45
53	54	55

77	78	79
87	88	89
97	98	99

확인학습3

1 알맞게 이어 보세요.

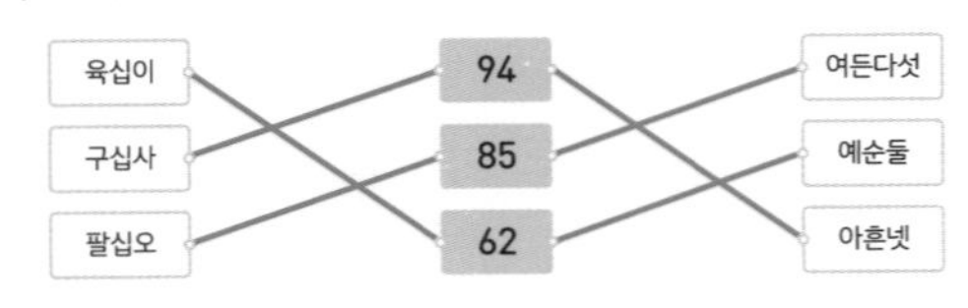

2 빈칸에 알맞은 수를 써넣으세요.

수	10개씩 묶음	낱개
52	5	2
64	6	4
85	8	5

3 규칙을 찾아 빈칸에 알맞은 수를 써넣으세요.

38	39	40	41
45	44	43	42
46	47	48	49
53	52	51	50

82	83	87	88
84	86	89	94
85	90	93	95
91	92	96	97

4 주어진 조건만큼 뛰어 센 수는 얼마인지 □ 안에 알맞은 수를 써넣으세요.

22부터 2씩 6번 뛰어 센 수 = 34

47부터 3씩 5번 뛰어 센 수 = 62

51부터 5씩 4번 뛰어 센 수 = 71

71부터 2씩 9번 뛰어 센 수 = 89

5 가장 작은 수에 ○표 하세요.

63보다 10 작은 수 55보다 1 작은 수 42보다 10 큰 수 (○)

6 수 배열표의 일부에요. 빈칸에 알맞은 수를 써넣으세요.

p.37

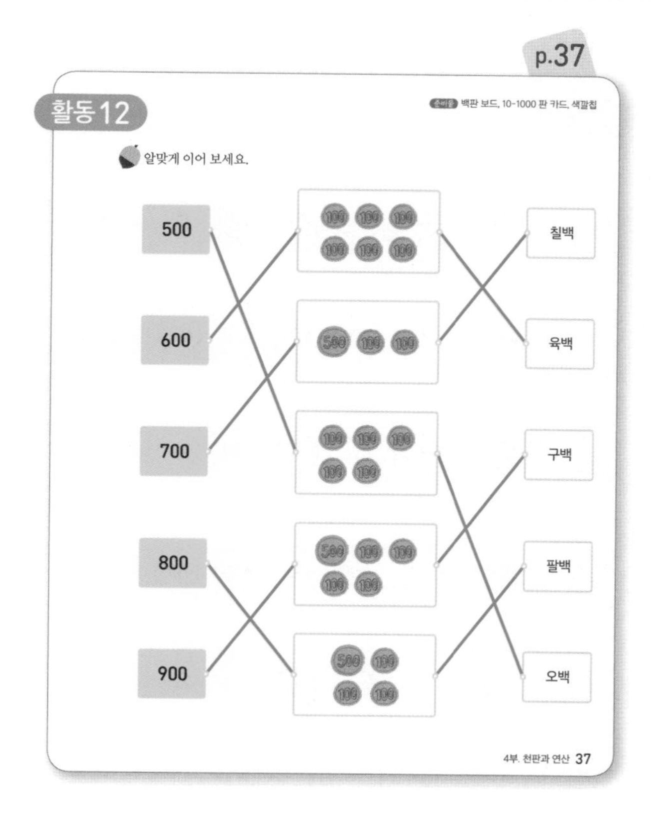

활동 12

준비물 백판 보드, 10-1000 판 카드, 색깔칩

알맞게 이어 보세요.

p.39

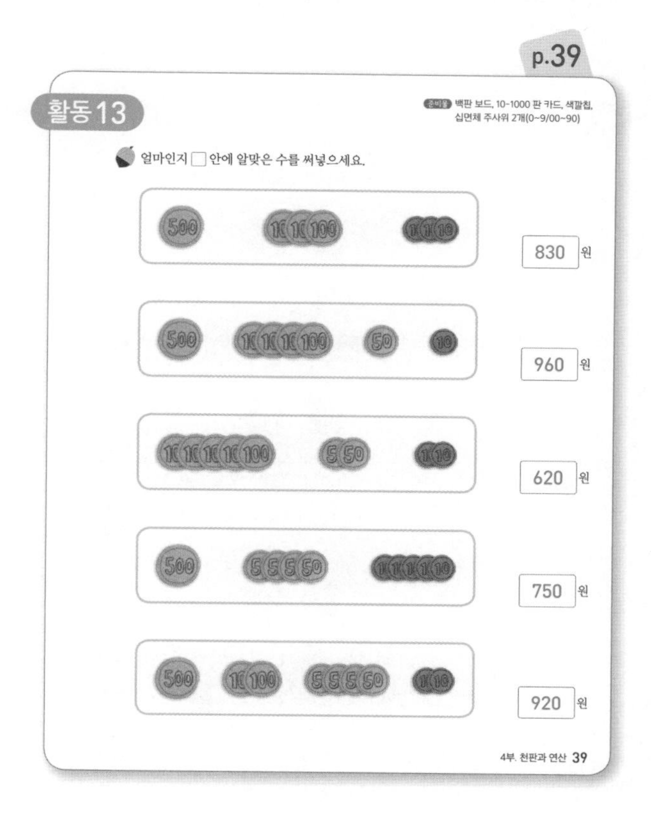

활동 13

준비물 백판 보드, 10-1000 판 카드, 색깔칩, 십면체 주사위 2개(0~9/00~90)

얼마인지 □ 안에 알맞은 수를 써넣으세요.

830 원

960 원

620 원

750 원

920 원

p.41

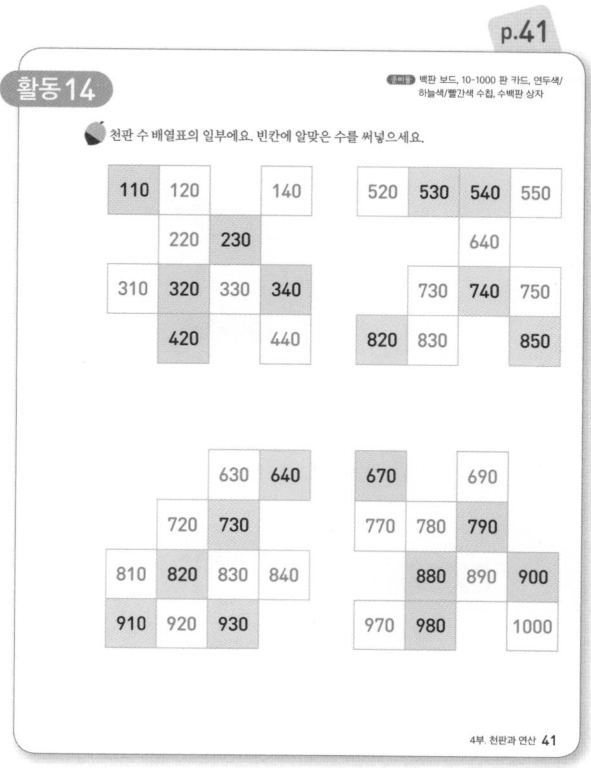

활동 14

준비물 백판 보드, 10-1000 판 카드, 연두색/하늘색/빨간색 수칩, 수백판 상자

천판 수 배열표의 일부에요. 빈칸에 알맞은 수를 써넣으세요.

110	120		140
	220	230	
310	320	330	340
	420		440

520	530	540	550
		640	
	730	740	750
820	830		850

		630	640
	720	730	
810	820	830	840
910	920	930	

670		690	
770	780	790	
	880	890	900
970	980		1000

p.43

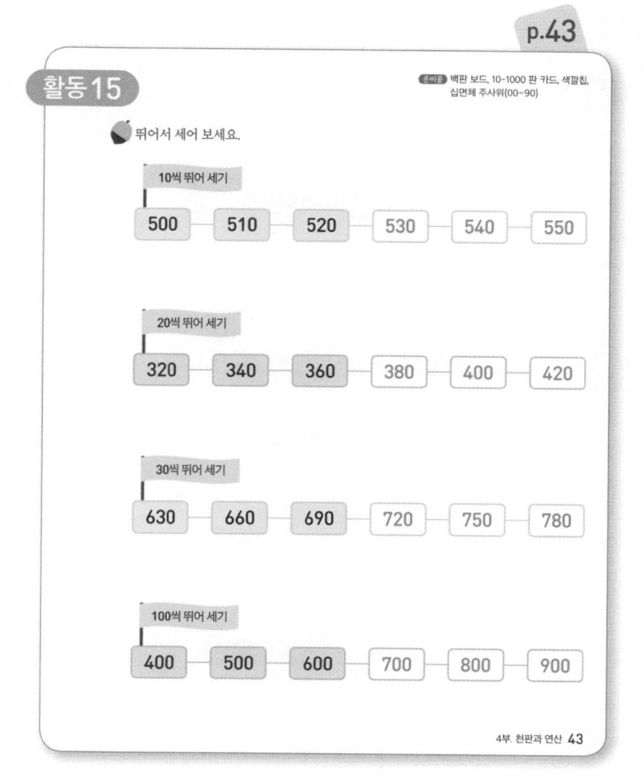

활동 15

준비물 백판 보드, 10-1000 판 카드, 색깔칩, 십면체 주사위(00~90)

뛰어서 세어 보세요.

10씩 뛰어 세기: 500 – 510 – 520 – 530 – 540 – 550

20씩 뛰어 세기: 320 – 340 – 360 – 380 – 400 – 420

30씩 뛰어 세기: 630 – 660 – 690 – 720 – 750 – 780

100씩 뛰어 세기: 400 – 500 – 600 – 700 – 800 – 900

정답과 해설

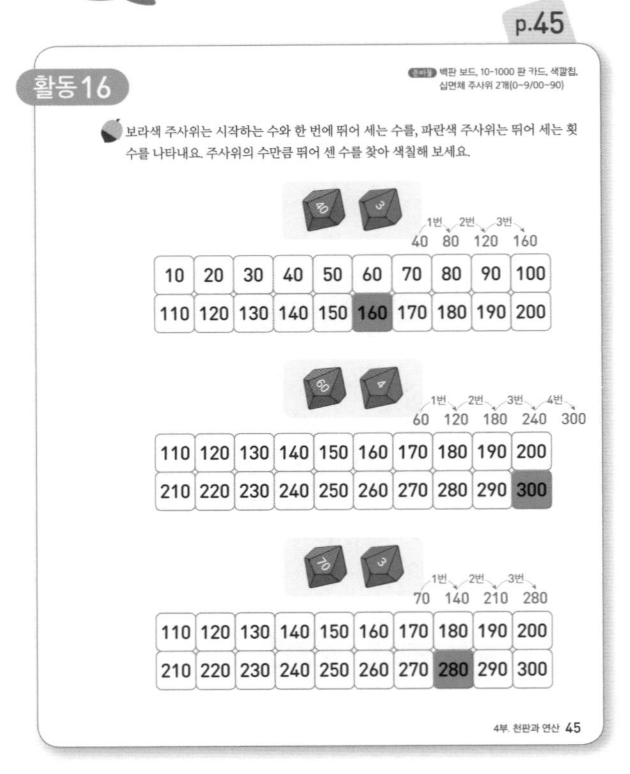
p.45

활동16

준비물 백판 보드, 10-1000 판 카드, 색깔칩, 십면체 주사위 2개(0~9/00~90)

보라색 주사위는 시작하는 수와 한 번에 뛰어 세는 수를, 파란색 주사위는 뛰어 세는 횟수를 나타내요. 주사위의 수만큼 뛰어 센 수를 찾아 색칠해 보세요.

40, 3 — 1번 2번 3번 — 40 80 120 160

10	20	30	40	50	60	70	80	90	100
110	120	130	140	150	160	170	180	190	200

60, 4 — 1번 2번 3번 4번 — 60 120 180 240 300

110	120	130	140	150	160	170	180	190	200
210	220	230	240	250	260	270	280	290	300

70, 3 — 1번 2번 3번 — 70 140 210 280

110	120	130	140	150	160	170	180	190	200
210	220	230	240	250	260	270	280	290	300

4부. 천판과 연산 45

p.47

활동17

준비물 백판 보드, 10-1000 판 카드, 색깔칩, 십면체 주사위 2개(0~9/00~90)

크기에 맞는 수를 모두 찾아 ◯표 하세요.

100 < (120) 90 310 (280) 350 < 300

250 < 240 (290) 470 510 (430) < 450

700 < (820) 690 (790) 950 580 < 900

550 < 500 780 520 (610) (700) < 750

420 < 390 (580) (450) 410 650 < 620

4부. 천판과 연산 47

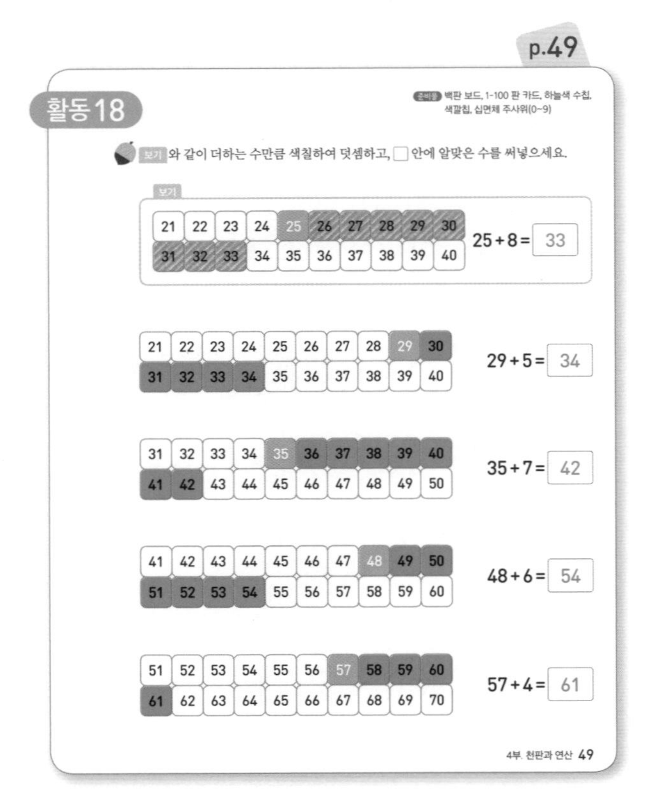
p.49

활동18

준비물 백판 보드, 1-100 판 카드, 하늘색 수칩, 색깔칩, 십면체 주사위(0~9)

보기 와 같이 더하는 수만큼 색칠하여 덧셈하고, □ 안에 알맞은 수를 써넣으세요.

보기

21	22	23	24	25	26	27	28	29	30
31	32	33	34	35	36	37	38	39	40

25 + 8 = 33

21	22	23	24	25	26	27	28	29	30
31	32	33	34	35	36	37	38	39	40

29 + 5 = 34

31	32	33	34	35	36	37	38	39	40
41	42	43	44	45	46	47	48	49	50

35 + 7 = 42

41	42	43	44	45	46	47	48	49	50
51	52	53	54	55	56	57	58	59	60

48 + 6 = 54

51	52	53	54	55	56	57	58	59	60
61	62	63	64	65	66	67	68	69	70

57 + 4 = 61

4부. 천판과 연산 49

p.51

활동19

준비물 백판 보드, 1-100 판 카드, 하늘색 수칩, 색깔칩, 십면체 주사위(0~9)

보기 와 같이 빼는 수만큼 색칠하여 뺄셈하고, □ 안에 알맞은 수를 써넣으세요.

보기

21	22	23	24	25	26	27	28	29	30
31	32	33	34	35	36	37	38	39	40

36 − 9 = 27

21	22	23	24	25	26	27	28	29	30
31	32	33	34	35	36	37	38	39	40

33 − 5 = 28

31	32	33	34	35	36	37	38	39	40
41	42	43	44	45	46	47	48	49	50

41 − 4 = 37

41	42	43	44	45	46	47	48	49	50
51	52	53	54	55	56	57	58	59	60

55 − 7 = 48

51	52	53	54	55	56	57	58	59	60
61	62	63	64	65	66	67	68	69	70

62 − 6 = 56

4부. 천판과 연산 51

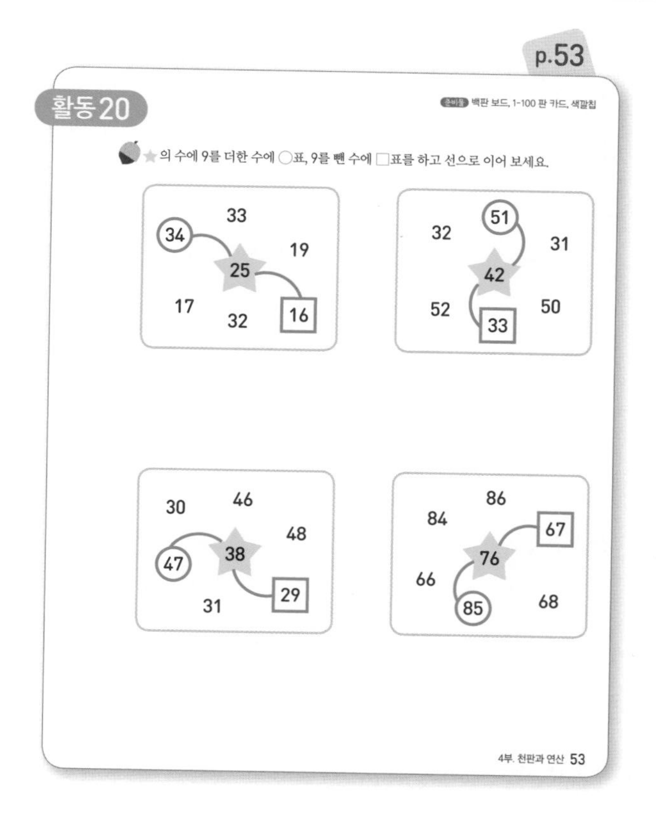

p.53

활동 20

준비물 백판 보드, 1-100 판 카드, 색깔칩

★의 수에 9를 더한 수에 ○표, 9를 뺀 수에 □표를 하고 선으로 이어 보세요.

33, 34, 19, 25, 17, 32, 16

32, 51, 31, 42, 52, 33, 50

30, 46, 48, 47, 38, 31, 29

84, 86, 67, 76, 66, 85, 68

4부 천판과 연산 53

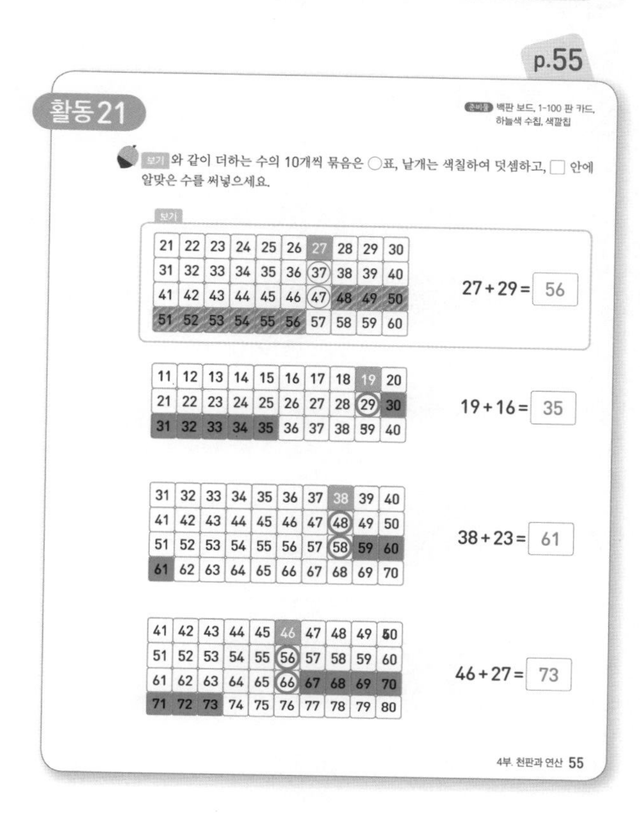

p.55

활동 21

준비물 백판 보드, 1-100 판 카드, 하늘색 수집, 색깔칩

보기 와 같이 더하는 수의 10개씩 묶음은 ○표, 낱개는 색칠하여 덧셈하고, □ 안에 알맞은 수를 써넣으세요.

보기

21	22	23	24	25	26	27	28	29	30
31	32	33	34	35	36	37	38	39	40
41	42	43	44	45	46	47	48	49	50
51	52	53	54	55	56	57	58	59	60

27 + 29 = 56

11	12	13	14	15	16	17	18	19	20
21	22	23	24	25	26	27	28	29	30
31	32	33	34	35	36	37	38	39	40

19 + 16 = 35

31	32	33	34	35	36	37	38	39	40
41	42	43	44	45	46	47	48	49	50
51	52	53	54	55	56	57	58	59	60
61	62	63	64	65	66	67	68	69	70

38 + 23 = 61

41	42	43	44	45	46	47	48	49	50
51	52	53	54	55	56	57	58	59	60
61	62	63	64	65	66	67	68	69	70
71	72	73	74	75	76	77	78	79	80

46 + 27 = 73

4부 천판과 연산 55

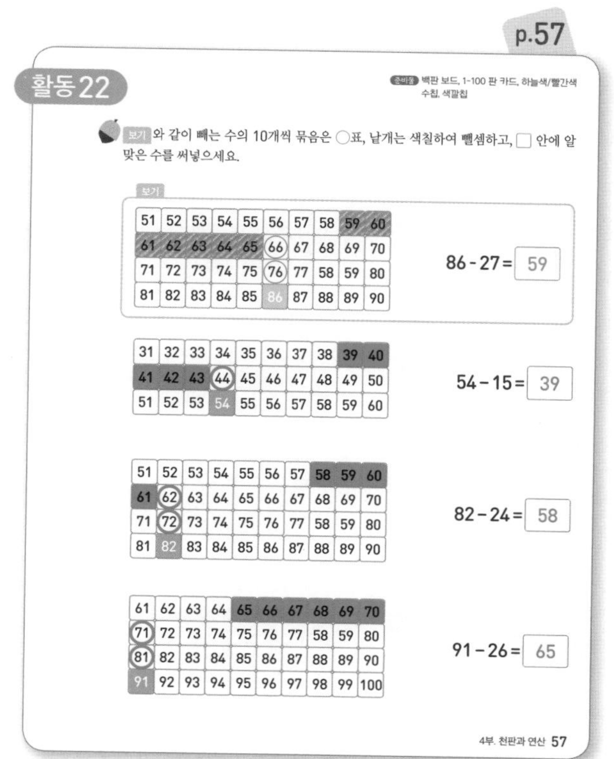

p.57

활동 22

준비물 백판 보드, 1-100 판 카드, 하늘색/빨간색 수집, 색깔칩

보기 와 같이 빼는 수의 10개씩 묶음은 ○표, 낱개는 색칠하여 뺄셈하고, □ 안에 알맞은 수를 써넣으세요.

보기

51	52	53	54	55	56	57	58	59	60
61	62	63	64	65	66	67	68	69	70
71	72	73	74	75	76	77	58	59	80
81	82	83	84	85	86	87	88	89	90

86 - 27 = 59

31	32	33	34	35	36	37	38	39	40
41	42	43	44	45	46	47	48	49	50
51	52	53	54	55	56	57	58	59	60

54 - 15 = 39

51	52	53	54	55	56	57	58	59	60
61	62	63	64	65	66	67	68	69	70
71	72	73	74	75	76	77	58	59	80
81	82	83	84	85	86	87	88	89	90

82 - 24 = 58

61	62	63	64	65	66	67	68	69	70
71	72	73	74	75	76	77	58	59	80
81	82	83	84	85	86	87	88	89	90
91	92	93	94	95	96	97	98	99	100

91 - 26 = 65

4부 천판과 연산 57

정답과 해설

p.58 ~ p.59

확인학습 1

확인학습1

1 □ 안에 알맞은 수를 써넣으세요.

➡ 390

➡ 530

2 □ 안에 알맞은 수나 말을 써넣으세요.

삼백이십 ➡ 320

구백 ➡ 900

580 ➡ 오백팔십

710 ➡ 칠백십

3 일정하게 뛰어 센 규칙을 찾아 빈 곳에 알맞은 수를 써넣으세요.

250 — 260 — 270 — 280 — 290 — 300

400 — 500 — 600 — 700 — 800 — 900

58 수백판 워크북2

4 수의 크기를 비교하여 ○ 안에 > 또는 <를 알맞게 써넣으세요.

250 (<) 350　　520 (<) 620

760 (>) 730　　830 (>) 820

5 빈칸에 들어갈 수는 선으로 연결된 두 수의 합이에요. 빈칸에 알맞은 수를 써넣으세요.

28　16　17　29

44　46

90

6 □ 안에 알맞은 수를 써넣으세요.

94 —(−38)→ 56 —(−27)→ 29

61 —(−26)→ 35 —(−18)→ 17

4부 천판과 연산 59

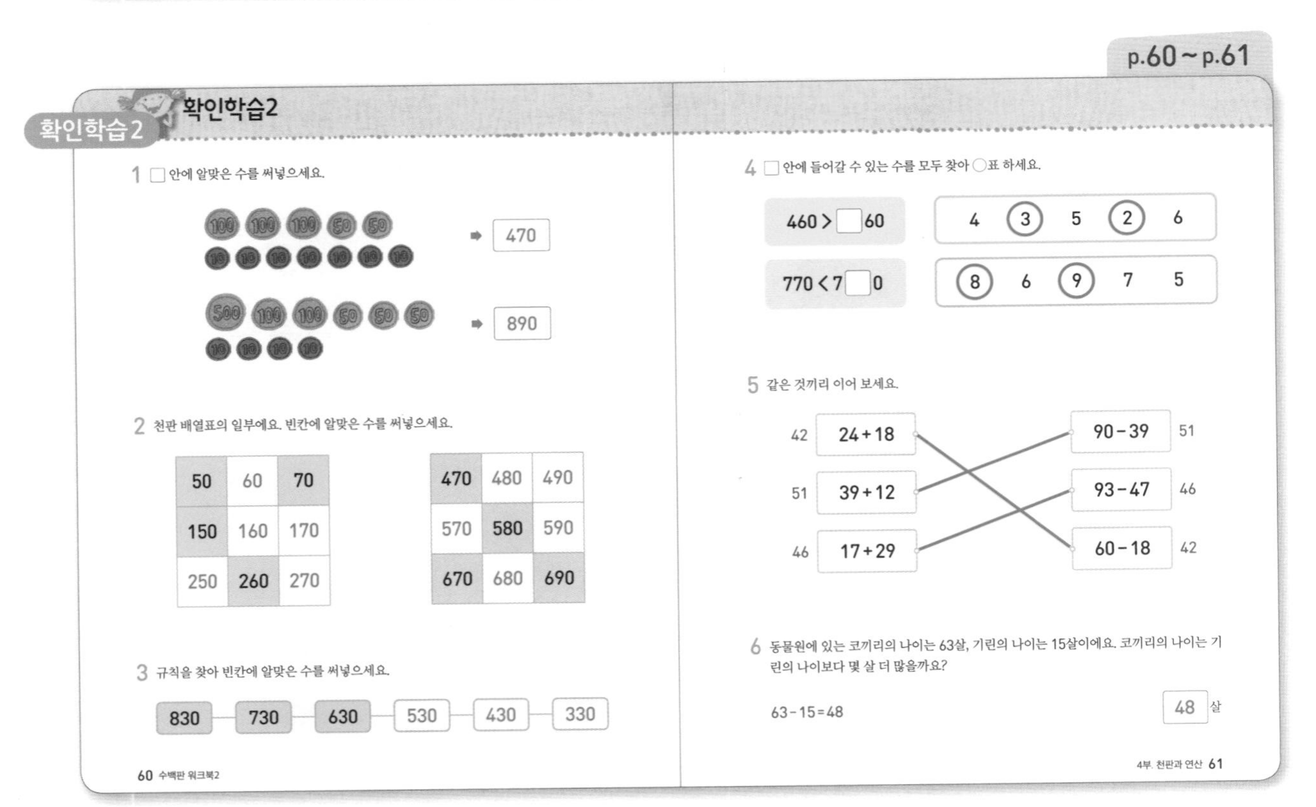
p.60 ~ p.61

확인학습 2

확인학습2

1 □ 안에 알맞은 수를 써넣으세요.

➡ 470

➡ 890

2 천판 배열표의 일부예요. 빈칸에 알맞은 수를 써넣으세요.

50	60	70
150	160	170
250	260	270

470	480	490
570	580	590
670	680	690

3 규칙을 찾아 빈칸에 알맞은 수를 써넣으세요.

830 — 730 — 630 — 530 — 430 — 330

60 수백판 워크북2

4 □ 안에 들어갈 수 있는 수를 모두 찾아 ○표 하세요.

460 > □60 : 4 (3) 5 (2) 6

770 < 7□0 : (8) 6 (9) 7 5

5 같은 것끼리 이어 보세요.

42 24+18 — 60−18 42

51 39+12 — 90−39 51

46 17+29 — 93−47 46

6 동물원에 있는 코끼리의 나이는 63살, 기린의 나이는 15살이에요. 코끼리의 나이는 기린의 나이보다 몇 살 더 많을까요?

63−15=48

48 살

4부 천판과 연산 61

확인학습 3

확인학습3

1 □ 안에 알맞은 수를 써넣으세요.

963에서 백의 자리 숫자는 9 이고, 900 을/를 나타냅니다.

십의 자리 숫자는 6 이고, 60 을/를 나타냅니다.

일의 자리 숫자는 3 이고, 3 을/를 나타냅니다.

2 동전 5개 중 3개를 사용하여 나타낼 수 있는 세 자리 수에 모두 ○표 하세요.

500 100 50 50 10

710　210　(560)　510　(650)

3 천판 배열표의 일부에요. 빈칸에 알맞은 수를 써넣으세요.

110		
210		230
310	320	330

680	690	
	790	
880	890	900

4 1부터 9까지의 수 중에서 □ 안에 들어갈 수 있는 수를 모두 찾아 써 보세요.

□70 > 680　　7, 8, 9

640 > 6□0　　1, 2, 3

5 □ 안에 들어갈 수 있는 수를 모두 찾아 ○표 하세요.

29 + □ > 46　　15　(18)　16　(19)

72 - □ > 55　　18　17　(15)　(16)

6 어떤 수에 14를 더해야 할 것을 잘못하여 뺐더니 46이 되었어요. 바르게 계산한 값을 구해 보세요.

□ - 14 = 46
□ = 60
60 + 14 = 74

74